ABALORIOS

ABALORIOS

25 proyectos de diseños con abalorios para hacer en casa

ISABEL STANLEY

Fotografías de Peter Williams

LIBSA

© 2014, Editorial LIBSA
C/ San Rafael, 4
28108 Alcobendas. Madrid
Tel. (34) 91 657 25 80
Fax (34) 91 657 25 83
e-mail: libsa@libsa.es
www.libsa.es

ISBN: 978-84-662-2934-0

Derechos exclusivos de edición para todos
los países de habla española.

Traducción: Antonio Rincón Córcoles

Título original: *New Crafts. Beadwork*

© MMXIII, Anness Publishing Ltd.

Créditos fotográficos:
Salvo que se especifique lo contrario, todas las imágenes de este libro son cortesía de Cody Images.

DL: M 7280-2014

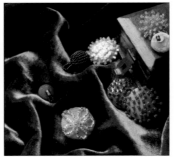

CONTENIDO

INTRODUCCIÓN

Las cuentas de abalorios son objetos decorativos sencillos, generalmente redondos con un orificio en el centro.
Pueden adoptar cualquier forma y tamaño y están hechas de multitud de materiales. Atraen tanto la mirada
como el sentido del tacto. Relucen, chispean y dan pres-
tancia, riqueza y profundidad a cualquier obra de artesanía.

Los primeros «abalorios» fueron objetos naturales,
como caparazones marinos llamados cauris, plumas, semillas, huesos y madera. Aunque nuestros antepasados
admiraron estos adornos por sus cualidades estéticas,
también los contemplaron como talismanes imbuidos
de un poder místico. Creían que las sartas de cuentas
protegerían a su portador de las influencias malignas y
le atraerían la buena fortuna. Era habitual adornar con
abalorios los bordes de las telas, para realzar sus cualidades protectoras. Según las antiguas creencias, los materiales lustrosos y reflectantes, como la mica, la plata
o el bronce, desviaban la mirada del diablo. Conforme
las sociedades crecieron en complejidad, se emplearon
nuevas técnicas y materiales y se desarrollaron labores
con abalorios a escala comercial.

IZQUIERDA: *Las cuentas y los abalorios realzan casi cualquier objeto con
su brillo y su color. Pueden hacerse con vidrio, madera, metal, plástico y,
naturalmente, piedras semipreciosas.*

Historia de los abalorios

Históricamente, la función de los abalorios en la sociedad no se ha limitado a la simple ornamentación; su importancia cultural es enorme. Los historiadores los consideran importantes objetos que reflejan condiciones económicas, religiosas y sociales. El arte de los abalorios cambia y evoluciona constantemente, influido tanto por la moda como por los avances tecnológicos.

Durante el siglo xv, los abalorios se convirtieron en una importante moneda de cambio. Los exploradores europeos los utilizaron como regalos para los pueblos indígenas de Norteamérica, con el ánimo de entablar amistad e infundir confianza. Al florecer el comercio entre los nativos americanos y los mercaderes de Europa, abalorios y agujas de acero se intercambiaban principalmente por pieles. Las cuentas de vidrio importadas pronto sustituyeron a sus equivalentes locales de hueso y cauri, que se habían venido aplicando en los cueros con pelo de alce y púas de puercoespín. Los nativos adoptaron como propios los motivos florales de los extranjeros y los asimilaron en sus dibujos tradicionales para fabricar hermosos y singulares mocasines, faldones e instrumentos.

Los abalorios de fabricación comercial fueron introducidos en África por primera vez en el siglo xv por los asiáticos y los europeos. Las rutas de las caravanas llevaron consigo estas monedas fácilmente transportables hasta lo más profundo del continente. Los mercaderes intercambiaron cuentas de vidrio por marfil, pieles e incluso esclavos. Las más raras y valiosas se convirtieron rápidamente en preciadas posesiones, indicadores de riqueza y de la alta condición de su dueño. Tal llegó a ser la importancia social de ciertos abalorios que solo los estratos más altos de la sociedad estaban autorizados a llevarlos. La etiqueta protocolaria que surgió remarcaba otras diferencias, aparte de la jerarquía social. Determinadas combinaciones y dibujos, así como la posición exacta de una pieza en concreto, identificaban a los solteros de los casados, a los jóve-

ARRIBA: *Un ceñidor de tela, profusamente decorado, de una tribu norteamericana, complementado con mocasines y bolsa adornados con abalorios. Los comerciantes europeos llevaron las cuentas de vidrio al continente americano, donde las utilizaron como moneda de cambio. Los nativos las recibieron con entusiasmo y las integraron en sus tradiciones artísticas.*

nes de los ancianos. Además, estas diferencias reflejaban los logros personales y el lugar de nacimiento o la procedencia de cada persona. Algunas vestimentas muy elaboradas adoptaron un significado especial y solo podían ser llevadas durante los actos ceremoniales, las bodas y los ritos iniciáticos.

El pueblo zulú y la etnia ndbele son conocidos especialmente por su artesanía. Hombres y mujeres portan collares, cintas, brazaletes, cinturones y ajorcas hechos de finas tiras de cuentas trenzadas, y van ataviados con pieles y cueros. Las mujeres de diferente condición se distinguen por sus capas, cintos,

faldellines y sombreros con profusos adornos. Con las formas y colores de los abalorios las jóvenes envían a sus enamorados mensajes crípticos cuando están lejos de casa.

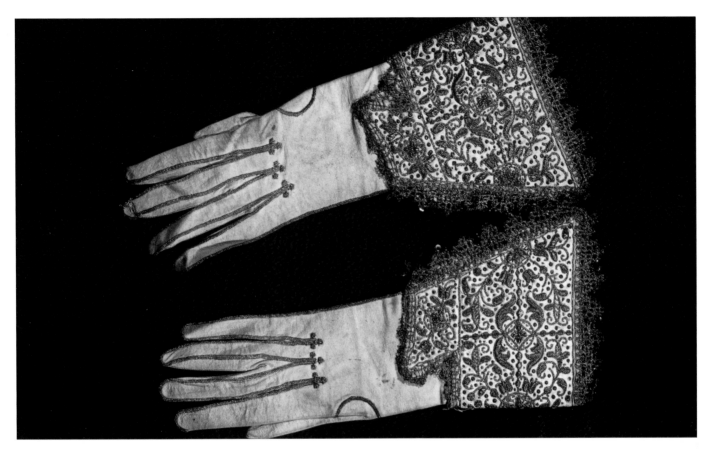

En la Gran Bretaña medieval, el portador de oropeles y brocados tenía una función ceremonial. Los primeros abalorios fabricados estaban hechos de valiosas materias primas, como gemas y piedras semipreciosas. Estaban solo a disposición de la nobleza y el clero. Artesanos profesionales embellecían los ricos tejidos durante el primer gran periodo de excelencia del bordado inglés, el *Opus Anglicum*. Perlas y corales perforados se aplicaban con hilos metálicos para preparar los elaborados y plúmbeos ropajes eclesiales. Estos atuendos debieron ofrecer un efecto asombroso, con sus brillos y lustres, en los templos alumbrados con velas. Los abalorios eran tan valiosos que, cuando declinó la importancia de la Iglesia, los más preciados fueron desengastados y reciclados. En los primeros años del siglo XVI, algunas de esas piedras se bordaron en las extravagantes prendas de la aristocracia de los Tudor. Comenzó entonces un segundo renacimiento de la artesanía nacional. Costureras itinerantes compusieron vestidos de riqueza fabulosa con bordados y perlas, lentejuelas y coral. Estos ropajes, tan gloriosos como poco prácticos, revelaban la importancia de los hombres y mujeres que los lucían y, a la vez, los dejaban desvalidos, necesitados de una hueste de sirvientes que los ayudaran a vestirse y desvestirse.

A mediados del siglo XVII, las damas jóvenes eran instadas a demostrar su valía con la aguja y el bordado para producir estuches de tela para joyas como parte de su «educación». Aplicaban una técnica hoy conocida como bordado en relieve en el que se formaban adornos acolchados o en tres dimensiones con hilo de seda y lana, embellecidos con pequeñas cuentas de vidrio, mica y lentejuelas. Estas maravillosas labores reproducían mansiones y a sus moradores pulcramente ataviados, así como jardines, en una manifestación muy típica del siglo XVII.

ARRIBA: *Guantes blancos de cabritilla, bordados con hilo de plata y lentejuelas, de mediados del siglo XVII. Estos lujosos artículos eran un símbolo de alta condición social, indicadores de riqueza y solaz y propiedad exclusiva de las mujeres más pudientes.*

Los jardines bordados estaban colmados de flores, plantas y árboles exóticos, a veces en realce tridimensional, trabajados con abalorios enfilados en alambres y contorneados para lograr la forma deseada. Las extrañas proporciones de los rasgos indican que no se tomaban del natural, sino que eran copiados de las ilustraciones.

Durante el siglo XIX, el bordado y el arte de los abalorios se convirtieron en populares aficiones entre las damas de clase alta y media. Tan delicada ocupación era propia de mujeres privilegiadas que no tenían que trabajar, y los resultados no solo reflejaban la condición de aquellas damas, sino también las cualidades de su femineidad, paciencia y diligencia, todas las cuales se consideraban por entonces virtudes altamente deseables.

Las damas victorianas elaboraban finas piezas en realce, como mariposas, flores e insectos, enfilando cuentas en alambre. Disponían las estructuras terminadas en un muestrario bajo una vitrina o las utilizaban en sus ramos, diademas y peines para su disfrute o como presentes para familiares y amigas.

Se despertó una pasión por el uso de retazos y retales de ricas telas recicladas de los vestidos predilectos para crear *patchworks* abstractos. Estos diseños acolchados se adornaban con generosidad con bordados, cintas, botones, cuentas de vidrio y lentejuelas.

El arte de los abalorios no era exclusivo de las mujeres: los marineros en alta mar elaboraban con ellos objetos sentimentales para sus seres queridos. Preparaban alfileteros con retales de los uniformes de lana y los rellenaban con serrín. En ellos clavaban alfileres adornados con cuentas y lentejuelas para componer mensajes cargados de amor y de nostalgia.

IZQUIERDA: *Dos chalecos victorianos hechos en bordado berlinés.*

Sin embargo, el arte más importante era el llamado bordado berlinés, una pieza de lana cosida con escenas bucólicas. Esta moda recorrió Europa y América, y basó su popularidad en la sencillez de los trabajos. Para extraer provecho de este enorme mercado, los fabricantes producían miles de dibujos, además de hilos y lanas de diferentes colores. Algunos de ellos usaban abalorios. Diminutas cuentas metálicas y, sobre todo, de vidrio se cosían entre los hilos para dar brillo a la superficie. Se aplicaban distintos tonos para obtener un efecto escultórico, conocido como grisalla. Los hogares estaban repletos de bolsas, cubreteteras, mantas, zapatillas, almohadones y guardafuegos para chimeneas, como fruto de la labor de las mujeres.

Durante la segunda mitad del siglo XIX se extendió la moda de los canesús de abalorios en los trajes de noche, con el empleo de pequeñas cuentas de vidrio y azabache, y bolsos adornados con flecos y borlas.

Durante la década de 1920, la vida de las mujeres cambió muy rápidamente: tras la conclusión de la Gran Guerra, lograron el voto femenino y accedieron a los lugares de trabajo. Las modas reflejaron esta nueva libertad, con vestidos estrechos de cintura baja salpicados con hileras de cintas de lentejuelas, canutillos, perlas y cuentas de vidrio. Este estilo ajustado daba más libertad de movimiento y los bordes ondulantes estaban pensados para brillar como nunca en los nuevos bailes de los tiempos del jazz.

La popularidad del arte de los abalorios declinó con el estallido de la Segunda Guerra Mundial, cuando el racionamiento condujo a vestir ropas más sencillas y austeras. Sin embargo, en los últimos años ha vivido un renacimiento. Hoy en día, los abalorios se producen en gran número y variedad. La increíble gama de cuentas disponible en el mercado permite a los diseñadores y artistas contemporáneos explorar a fondo la belleza y las posibilidades creativas de este arte milenario.

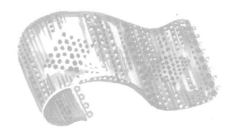

GALERÍA DE FOTOGRAFÍAS

El trabajo con abalorios es un arte secular con una rica historia. Los diseñadores y artesanos de hoy se sienten atraídos hacia él por su versatilidad y sus cualidades decorativas. Los abalorios pueden verse en diseños de alta costura o en tiendas de artesanía. A su servicio se ponen hoy multitud de materiales, algunos tranquilizadoramente tradicionales y otros de acusada modernidad, como demuestran los siguientes trabajos contemporáneos.

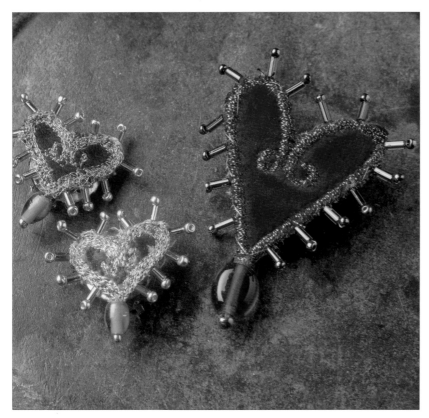

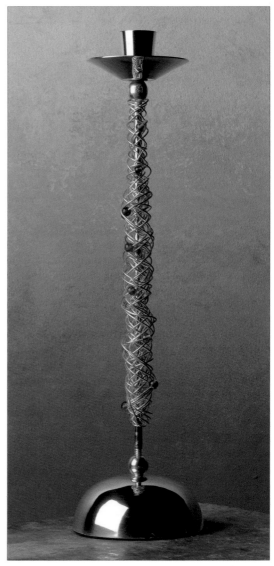

ARRIBA: *BROCHE Y PENDIENTES*
El broche en forma de corazón y los pendientes a juego están hechos con terciopelo bordado en oro y rematado con perlas decorativas. Isabel Stanley.

DERECHA: *PORTAVELAS*
Este elegante portavelas tiene una base metálica y está adornado con cuentas enfiladas en alambre alrededor del fuste. Liberty.

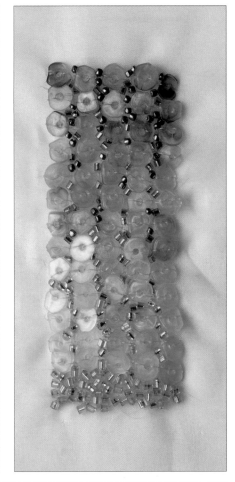

ARRIBA A LA IZQUIERDA:
FLORES DE ABALORIOS
Estas flores decorativas están hechas con cristal, granates y diversas formas pequeñas de canutillos, labrados desde el centro de la flor para formar los pétalos. Pueden prenderse o coserse en la ropa y los sombreros. Su inspiración procede de flores frescas o ilustraciones de libros. Janice Marr.

ARRIBA A LA DERECHA:
LENTEJUELAS PERLADAS
Si las circunstancias lo permiten, es posible vestirse de pies a cabeza con perlas y lentejuelas, y después añadir un detalle estratégico con tiras de cuentas perladas. La tira trenzada y tachonada con falsas perlas se ha preparado en un telar de abalorios para lograr un toque de lujo sutil. Karen Spurgin.

DERECHA: *PORTAVELAS*
Pequeñas cuentas rojas relucen como joyas y aportan calidez a la luz de la vela, a la vez que revelan la estructura de este lucido portavelas. En todo proyecto que exponga las cuentas al calor debe tenerse especial cuidado para utilizar materiales que no se fundan cerca de una llama. Las velas nunca deben dejarse sin vigilancia. Liberty.

PÁGINA ANTERIOR:
FRUTAS CON ABALORIOS
Se han adornado retales de satén y terciopelo antiguo con lentejuelas, pequeñas cuentas y piezas de cristal. Para mejorar su atractivo se han rellenado con lentejas, como si fueran bolsitas de semillas. Los tallos son de alambre de joyería y algunos abalorios tienen forma de hoja. Karen Spurgin.

ABAJO A LA IZQUIERDA:
MONTURA PLATEADA PARA GAFAS DE SOL
Se han enfilado cuentas en una montura de alambre para estas fantasiosas gafas. Los

viejos collares que se venden en los mercadillos sirven como fuente de abalorios de carácter singular que destacarán en cualquier proyecto que se haga con ellos. Diana Laurie.

DERECHA: *TOP DE ABALORIOS*
Esta pieza espectacular se labró en una base de alambre con cuentas de formas básicas. Diana Laurie.

ABAJO A LA DERECHA:
DISCOS DE ADORNO
Detalles como estos discos decorativos convierten una tela básica en un tejido para una celebración especial. Karen Spurgin.

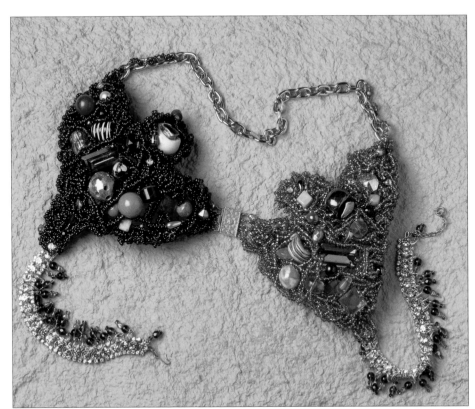

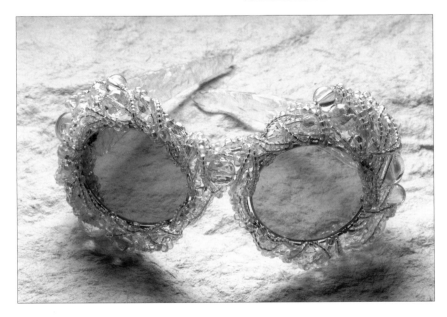

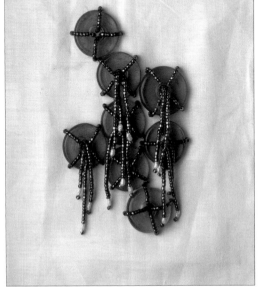

TIPOS DE ABALORIOS

Existen muchas tiendas de manualidades y proveedores de Internet especializados en la venta de abalorios. La variedad de diseños, formas y texturas para elegir es muy amplia: cristal, madera, madreperla, piedras semipreciosas e imitaciones sintéticas.

- **Bolas facetadas.** Hechas de vidrio y talladas con la superficie facetada, tienen formas diversas, como corazones o rombos. Sus aristas son cortantes, por lo que hay que proteger con cera el hilo de cuentas.
- **Canutillos.** Tubos estrechos, de varios tamaños, muy vistosos cuando contrastan con abalorios redondos pequeños.
- **Cuentas con hilo metálico.** Tipo de abalorios en los que se enrolla un hilo de metal alrededor del vidrio fundido para crear un diseño en espiral en bandas.
- **Cuentas de cerámica.** Las cuentas de arcilla se fabricaban originariamente insertando un palillo de madera en una forma de barro. Al cocerlas, el palillo se quemaba y quedaba el orificio. Estas cuentas de porcelana azul y blanca lucen diseños chinos tradicionales.
- **Cuentas de metal.** Estos abalorios suelen tener formas sofisticadas de cobre o latón, a veces con baños dorados o plateados. En bisutería se utilizan a menudo para separar las cuentas más grandes o para rematar una hilera.
- **Cuentas de vidrio soplado.** Hechos en la India, estos abalorios están decorados con vidrio soplado en forma de hojas, flores u otros diseños. Algunas cuentas de cristal llevan insertos elementos de estaño.
- **Cuentas pequeñas de cristal.** De forma esférica, al igual que las rocallas planas, existen en muchas variedades. A veces se venden como tiras ya enfiladas, dispuestas para pasar la aguja y trabajar más deprisa.
- **Cuentas venecianas.** Estos abalorios tan decorativos provienen de uno de los centros más conocidos de fabricación de vidrio del mundo: la ciudad italiana de Venecia y alrededores (como Murano).

- **Gotas.** Con forma de lágrimas, se utilizan normalmente para rematar una tira o una parte de la labor.
- **Lentejuelas.** Estas piezas de plástico aplanadas, por ejemplo con forma de estrella, de flor o de hoja, con uno o más orificios, están disponibles en un número casi ilimitado de colores y acabados. Originariamente, las lentejuelas se preparaban con laminillas de oro y plata.
- **Materiales naturales.** Las cuentas fabricadas con cáscaras, semillas, caparazones, madreperlas y huesos se consideran talismanes en algunas regiones. Las cuentas de madera son más adecuadas para la bisutería que para el bordado.
- **Millefiori.** Se funden tiras largas de cristal de colores y después se rebanan transversalmente, de manera que queda un mosaico de «mil flores». Hoy en día, también se preparan con plástico.
- **Objetos diversos.** Muchos objetos, como tapones, monedas, arandelas o tacos de madera, pueden convertirse en piezas interesantes para la labor con abalorios. Use un taladro fino para agujerear el centro. Cuando perfore cuentas de vidrio lleve siempre gafas protectoras.
- **Perlas.** Las perlas artificiales, con un acabado nacarado, pueden encontrarse en varios colores, en blanco y en tono marfil.
- **Piedras semipreciosas.** El ámbar, las turquesas, el coral o el jade son caros, pero también existen buenas imitaciones.
- **Rocallas.** Estos abalorios de vidrio, ligeramente planos y pequeños, son muy socorridos. Pueden ser opacas, transparentes, metálicas o iridiscentes. A veces, el orificio está cubierto con una capa iridiscente, opaca, dorada o plateada.

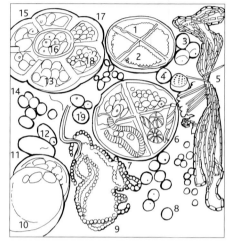

CLAVE
1. Rocallas
2. Cuentas pequeñas de cristal
3. Cuentas venecianas
4. Millefiori
5. Canutillos
6. Cuentas de hueso
7. Lentejuelas
8. Gotas
9. Tiras de cuentas enfiladas
10. Objetos diversos
11. Cuentas de vidrio soplado
12. Cuentas con hilo de metal
13. Perlas artificiales
14. Bolas facetadas
15. Piedras semipreciosas: lapislázuli, etc.
16. Cuentas de cerámica
17. Cuentas de madera
18. Cuentas de metal
19. Ámbar

MATERIALES

En el trabajo con abalorios basta con algunos materiales básicos, dependiendo del proyecto. Los principales son, obviamente, las cuentas en sí. Otros muchos son habituales de los costureros. En mercerías, en departamentos especializados de los grandes comercios y en Internet se puede conseguir los que falten.

- **Alambre para cuentas**. Existe en colores dorado, cobrizo y plateado, y en muchos diámetros, aunque es preferible desde 0,4 mm a 0,6 mm. Hay que comprobar que el alambre cabe por el orificio de la cuenta.
- **Alfileres finos**. De menor dimensión que los alfileres de modista, son perfectos para marcar labores con abalorios.
- **Botones**. La combinación de botones con cuentas mejora el efecto decorativo.
- **Cinta**. Los flecos se cosen en cintas de tela antes de incluirlos en labores de costura o de enrollarlos en borlas.
- **Cintas de seda, satén y terciopelo**. Estas cintas pueden servir para realizar los trabajos con abalorios.
- **Cordón**. Las cuentas pueden enfilarse en un cordón de tres hilos, disponible en numerosos colores y grosores en los comercios especializados, además de Internet.
- **Cubrebotones**. Vendidos en forma de kit en las mercerías, los cubrebotones constan de dos piezas: una superior, para tirar de la tela, y una inferior.
- **Entretela**. Se usa normalmente para reforzar la tela, y también sirve de base para la labor.
- **Esferas de algodón**. Bolas hechas de fibras de algodón comprimido, en diversas formas. Pueden comprarse en proveedores de abalorios y en comercios especializados.
- **Fornituras**. Alfileres, ganchos para pendientes, broches, cierres y otras fornituras pueden conseguirse en las tiendas de abalorios.
- **Hilo de bordar**. Incluye el perlé (de dos hilos, muy brillante), el hilo en hebras (para una labor fina pueden separarse las cinco hebras) y los hilos para bordar a máquina. Todos estos tipos se comercializan en numerosos colores, algunos de tono metálico.
- **Hilo de cuentas**. Hilo especial diseñado para abalorios. Como alternativa, un hilo de poliéster, fuerte y liso, tiene la misma eficacia.
- **Hilo de seda**. Este hilo fibroso tiene el lustre de la seda.
- **Lana**. Este material mate se comercializa en numerosos colores.
- **Pinturas para tela**. Pinturas no tóxicas de base acuosa que se fijan con la plancha, recomendadas para proyectos con abalorios.
- **Rotulador para tela**. Es útil para marcar perfiles y también para dibujar motivos decorativos.
- **Sedal**. Para cuentas pesadas, como las de vidrio, se recomienda usar sedal de pesca. Es más resistente que el hilo de poliéster, aunque más difícil de manejar.
- **Tela autoadhesiva**. Planchada en la parte posterior de una tela, se queda adherida a ella.
- **Tela de tapicería**. Esta tela rígida y abierta puede conseguirse en varios tamaños de trama en proveedores especializados.
- **Tela para encuadernar**. Esta tela de algodón de tejido denso tiene un soporte de papel que puede encolarse. Está disponible en proveedores especializados en encuadernación.
- **Tornillos para encuadernar**. Disponibles en proveedores especializados en encuadernación, se utilizan para mantener unidas las hojas de papel que conforman un libro.

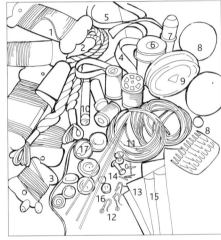

CLAVE

1. Lana
2. Cordón
3. Hilo de cuentas
4. Cinta de tela
5. Cinta
6. Pintura para tela
7. Pintura para tela
8. Esferas de algodón
9. Sedal
10. Hilo de seda
11. Alambre para cuentas
12. Fornituras
13. Alfileres finos
14. Tornillos para encuadernar
15. Tela para encuadernar
16. Botones
17. Cubrebotones

Equipo

El trabajo con abalorios es una afición muy gratificante y apenas necesita herramientas especializadas. Probablemente ya tendrá a mano el equipo básico de tijeras, alfileres y reglas. Guarde las cuentas en recipientes separados de vidrio o plástico para localizarlas rápidamente. Cuando esté trabajando en un proyecto, viértalas en pequeños cuencos blancos o en recipientes llanos.

- **Agujas**. Bastarán algunas agujas corrientes suficientemente pequeñas para que pasen por el orificio de las cuentas. Se usan agujas especiales para coser cuentas en materiales duros, como el cuero.
- **Agujas de enfilar**. Estas agujas, finas y largas, pueden encontrarse en distintos tamaños y se usan para enfilar varias cuentas de una vez. Se rompen con mucha facilidad, por lo que conviene manejarlas y guardarlas con cuidado. Para enfilar cuentas con orificios grandes se pueden usar agujas intermedias.
- **Alfileres de modista**. Se usan para fijar la tela antes del hilván o la costura.
- **Bastidor de bordar**. Consiste en dos aros fuertemente unidos que sujetan la tela para que esté lisa. Para uso con máquina de coser se recomiendan aros de plástico con muelle metálico.
- **Cera**. Se aplica en el hilo de cuentas con el fin de mejorar su resistencia y evitar que se deshilache en los bordes. Es muy útil sobre todo en el manejo de cuentas facetadas.
- **Chinchetas**. Se utilizan para clavar los elementos necesarios en un tablero.
- **Cinta métrica**. Es preferible usar una cinta métrica, antes que una regla, para medir telas y superficies curvas.
- **Cortaalambres y alicates de boca redonda**. Estas herramientas son esenciales para cortar y doblar alambre. No utilice tijeras, pues el alambre las mellaría.
- **Cuencos**. Cuando trabaje en un proyecto, vierta los abalorios en estos recipientes, que puede adquirir en las tiendas de artesanía. Como alternativa, también son válidos otros contenedores llanos y pequeños, siempre y cuando en ellos no se mezclen los distintos tipos de cuentas que se vayan a usar en un proyecto determinado.
- **Cúter**. Se necesita una cuchilla fuerte para cortar la cartulina.
- **Máquina de coser**. Utilice la máquina de la forma normal para coser y con un prensatelas para bordar.
- **Papel cuadriculado**. Se utiliza para medir flecos y borlas.
- **Pincel**. Se emplea para aplicar pintura para tela en algunos proyectos.
- **Pinzas**. Son muy útiles para escoger y asir cuentas individuales.
- **Regla**. Es esencial para una medida precisa. Para estos proyectos lo más adecuado es una regla de borde metálico.
- **Rotulador para tela**. Las marcas realizadas con este rotulador especializado se difuminan al contacto con el agua o el aire.
- **Tablero**. La labor de macramé y otras deben pincharse en un tablero. Es importante que este tablero tenga el tamaño suficiente para que quepa todo el diseño. Las piezas pequeñas pueden sujetarse en una tabla de planchar.
- **Telar de abalorios**. Este pequeño telar está diseñado especialmente para abalorios. Los hilos de la urdimbre se encajan entre muelles metálicos y se enrollan alrededor de cilindros de madera.
- **Tijeras de bordado**. Estas tijeras, pequeñas y afiladas, se emplean para cortar y recortar telas e hilos.
- **Tijeras metálicas**. Estas tijeras se utilizan para romper las cuentas estropeadas y retirarlas de una sarta de abalorios.

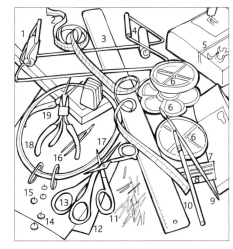

CLAVE
1. Tablero
2. Cinta métrica
3. Regla
4. Telar de abalorios
5. Máquina de coser
6. Cuencos
7. Agujas
8. Agujas de enfilar
9. Pincel
10. Rotulador para tela
11. Alfileres de modista
12. Tijeras de bordado
13. Tijeras metálicas
14. Papel cuadriculado
15. Chinchetas
16. Pinzas
17. Bastidor de bordar
18. Cortaalambres
19. Alicates de boca redonda

TÉCNICAS BÁSICAS

Las técnicas utilizadas en los trabajos con abalorios son bastante fáciles de aprender una vez que se entienden los principios fundamentales. Al iniciarse en el aprendizaje de cualquier artesanía, conviene invertir un tiempo en dominar los fundamentos antes de avanzar hacia técnicas más complejas. Lo mejor es empezar con un proyecto sencillo, como enfilar cuentas o preparar un fleco corto, y después pasar a trabajos más difíciles.

Cuentas preenfiladas

Enhebrar una aguja y pasarla a través de las cuentas, y después retirar el hilo antiguo.

Puntilla de abalorios

Utilizar una cinta métrica y un rotulador para tela para marcar los puntos. Enhebrar una aguja, introducirla en un extremo de la puntilla y fijar el hilo con un nudo. Pasar la aguja por una cuenta grande, seguida por una pequeña, que evitará que la grande se desprenda. Empujar las cuentas hasta la aguja y después pasar de nuevo la aguja por la cuenta grande. Dar una puntada en la tela en el siguiente punto marcado.

Fleco largo

1 Para obtener un fleco uniforme, utilizar papel cuadriculado o contar el número de abalorios y usar la misma cantidad para cada cordoncillo. Cortar un hilo de cuatro veces la longitud del fleco deseado. Enhebrar ambos extremos en una aguja para conseguir un hilo doble. Introducir la aguja en la tela y fijar con un nudo. Pasar la aguja por el lazo en el hilo y tirar para tensarlo.

2 Marcar la longitud del fleco en papel cuadriculado y colocarlo junto al hilo. Enfilar el número necesario de cuentas.

3 Pasar la aguja por la segunda cuenta hasta la última. Comprobar que no queda hilo visible. Aplicar un punto de remate entre la tercera y la cuarta cuentas desde el extremo, y continuar hacia arriba en el cordón de abalorios, con puntos de remate cada cuatro cuentas.

4 Tirar con suavidad del cordón para eliminar las torsiones en el hilo, y después cortarlo.

Fleco corto

Se trabaja con un hilo continuo. Marcar la longitud deseada en papel cuadriculado. Introducir la aguja en la tela y fijar el hilo con un nudo. Enfilar el número necesario de cuentas, empujándolas todo lo posible hasta la aguja. Pasar la aguja por la segunda cuenta hasta la última, y después recorrer el cordón en sentido inverso. Introducir la aguja de nuevo en la tela y sacarla por el siguiente punto del fleco.

Fleco en punta

Primero enhebrar una aguja, introducirla en la tela y fijar el hilo con un nudo. Ensartar un canutillo, una cuenta de vidrio pequeña y otro canutillo. Empujar los abalorios todo lo posible en forma de punta, y después introducir la aguja en el siguiente punto del fleco.

Fleco de gotas

Enhebrar una aguja, introducirla en la tela y fijar el hilo con un nudo. Ensartar una pequeña cuenta de vidrio, un abalorio en forma de gota y otra cuenta de vidrio pequeña. Empujar las cuentas todo lo posible e introducir la aguja en el siguiente punto del fleco.

Lazos

Marcar puntos en intervalos uniformes con un rotulador para tela. Enhebrar una aguja, introducirla en el tejido en el primer punto y fijar el hilo con un nudo. Enfilar suficientes cuentas para conseguir el tamaño de lazo deseado, empujándolas todo lo posible hasta la aguja. Introducir de nuevo la aguja en el mismo punto para formar un lazo y después pasarla por el siguiente punto del fleco.

Lazos mixtos

Enfilar el número necesario de cuentas para el pie y añadir los abalorios precisos para el lazo. Pasar la aguja a través del pie.

Cuentas trenzadas con aguja

En esta técnica se pasa un hilo continuo a través de series de abalorios, con una segunda serie de cuentas ajustada entre cada par de la primera. La segunda serie está unida a la primera mediante trenzado. A continuación, se ofrecen las instrucciones correspondientes a un objeto tridimensional. Para un diseño en dos dimensiones se trabajará con hileras en lugar de círculos.

1 Para la serie 1, enfilar el número necesario de cuentas, envolver con ellas el cuello del objeto y atar los extremos.

2 Para la serie 2, pasar la aguja por la primera cuenta de la serie 1, y después introducir la primera cuenta de la serie 2 entre las cuentas primera y segunda. Pasar la aguja por la tercera cuenta de la serie 1.

Hilo tendido

Las cuentas preenfiladas se apoyan sobre la tela para crear o adornar las líneas del diseño, y después se cosen con hilo para fijarlas. Puede añadirse encima un segundo cordón de cuerdas para dar textura.

Festones

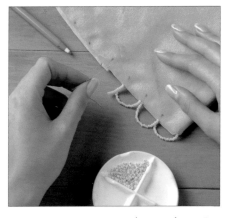

Marcar puntos en intervalos regulares. Enhebrar una aguja, introducirla en la tela en el primer punto y fijar el hilo con un nudo. Enfilar cuentas suficientes para obtener la longitud deseada del festón, empujándolas todo lo posible, y después introducir de nuevo la aguja en el punto siguiente.

Cómo preparar un telar de abalorios

Con los telares de cuentas se consiguen tiras estrechas y planas de tejido con abalorios. Las cuentas se sitúan entre los hilos de la urdimbre y se hace pasar un hilo de trama a través de las mismas, por encima y por debajo de los hilos de urdimbre.

2 Deslizar el nudo en el otro extremo de la urdimbre sobre los tornillos en el otro cilindro y arrollar como antes. Ajustar la tensión con los cilindros hasta que los hilos de la urdimbre estén tirantes.

3 Enhebrar una aguja de enfilar con un hilo largo y encerarlo. Atar el otro extremo del hilo al hilo de urdimbre situado más a la izquierda, a 2,5 cm de los cilindros.

1 Decidir la longitud de la pieza requerida y añadir 45 cm de margen. Cortar los hilos de urdimbre según esta longitud. Calcular el número de cuentas necesarias para la anchura, dependiendo del tamaño de los abalorios. Cortar un hilo de urdimbre por cada cuenta, más uno adicional. Extender los hilos de urdimbre suavemente y atarlos con un nudo en cada extremo. Dividir las hebras de dos en dos, y deslizar un nudo sobre los tornillos del cilindro. Girar el cilindro para enrollar un hilo pequeño, y después tirar de los hilos y colocarlos en los muelles, unos junto a otros.

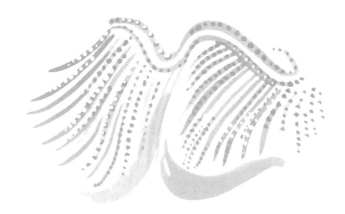

COLLAR CHINO

El punto de partida de este collar es el singular colgante de filigrana del centro. Las cuentas se enfilan en un cordón de nudos. La puntada de festón se prepara en torno a un centro de hilo, con los puntos cosidos en espiral con naturalidad.

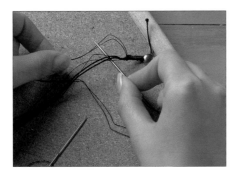

1 Para cada lado, cortar hilo de seda grueso de 1 m de longitud, doblarlo por la mitad y fijarlo al tablero. Cortar dos hilos de seda finos de 2 m de largo. Enhebrar cada hilo fino, doblar el hilo, atarlo a los hilos gruesos y deslizar los dos nudos hasta la chincheta. Colocar cada hilo fino junto a los hilos gruesos. Rematar con puntos de festón a lo largo de los hilos gruesos durante 12 cm.

2 Separar los hilos gruesos y, con las dos agujas, dar puntadas de festón durante 2 cm en las dos medidas de hilo fino.

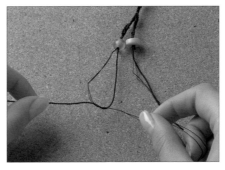

3 Ensartar una cuenta de hueso en un hilo y una cuenta de ámbar redonda en el otro. Hacer nudos dobles justo debajo de las cuentas. Proseguir como en el paso 1 durante 1,5 cm.

4 Ensartar una cuenta de vidrio soplado redonda y hacer un nudo justo debajo. Proceder como en el primer hilo durante 1,5 cm, dividirlo en dos durante 1,5 cm, enfilar dos piedras preciosas y hacer un nudo. Continuar con los dos hilos por separado durante 1,5 cm y reunir los hilos.

5 Seguir con el primer hilo 1 cm, introducir el disco de vidrio soplado, anudar y continuar con un hilo durante 1 cm. Enfilar una primera cuenta de hueso, después una de ámbar y más tarde otra de hueso. Hacer un nudo. Atar ambos lados, pasar todos los extremos en el colgante y anudarlos.

6 Pasar los extremos por el disco de vidrio soplado y anudarlos. Introducir de nuevo el extremo en la cuenta ovalada y cortar. Retirar la pieza de la chincheta y coser un cierre en cada extremo.

Materiales y equipo necesarios

Hilo de seda grueso · Tijeras · Cinta métrica · Chinchetas · Tablero · Hilo de seda fina · 2 agujas de ojo grande · 6 cuentas de hueso · 2 cuentas de ámbar redondas · 2 cuentas de vidrio soplado redondas con incrustaciones metálicas · 4 cuentas de piedras preciosas · 3 discos de vidrio soplado con incrustaciones metálicas · 2 cuentas de ámbar grandes · Un colgante chino grande · Un cierre

Collar veneciano

En esta lujosa creación se unen en intervalos múltiples cordones de abalorios de ricos colores con grandes cuentas venecianas. Es una forma perfecta para disfrutar del efecto de la combinación de algunos abalorios caros con un surtido de otros más económicos. Las cuentas de cierre están diseñadas de manera que puedan ajustarse firmemente con unos alicates.

3 Preparar otros tres cordones del mismo modo. Atar los hilos con un nudo fuerte en cada extremo, y aplicar una cuenta de cierre de latón en cada nudo con los alicates.

1 Cortar 250 cm de hilo y enhebrarlo en una aguja. Atar una cuenta en su extremo, a modo de sujeción. Enfilar las cuentas siguientes: una morada, 25 de color bronce, una verde, dos bronce, dos verdes, una morada, tres verdes, una roja, una morada, una veneciana, una morada, una roja, tres verdes, una morada, dos verdes, dos bronce, una verde. Repetir esta secuencia seis veces más. Terminar con 25 cuentas de color bronce y una morada.

2 Cortar otros 250 cm de hilo, enhebrarlo en la aguja y atarlo alrededor de la cuenta fija del extremo. Pasar la aguja a través de la primera cuenta morada enfilada en el paso 1, y después por las 25 cuentas de color bronce, una verde, dos de color bronce, dos verdes, una roja y tres verdes. Pasar la aguja por las cuentas roja, morada, veneciana, morada y roja enfiladas en el paso 1. Repetir la secuencia seis veces más, para terminar con las 25 cuentas color bronce, y pasar la aguja por la cuenta morada.

4 Fijar un aro dorado en la parte superior de cada cuenta de cierre. Pasar la presilla por los aros.

Materiales y equipo necesarios

Tijeras • Hilo fuerte de nailon negro • Aguja • Cuentas de vidrio rojas y moradas iridiscentes de 5 mm •
Cuentas de vidrio verdes y de color bronce de 3 mm • 7 grandes cuentas venecianas • 2 cuentas de cierre con lazos • Alicates de boca redonda •
2 aros dorados de 5 mm • Una presilla dorada en forma de S

PENDIENTES ENVUELTOS

Estos decorativos pendientes tienen una estructura muy simple: canutillos de cartulina enrollados y cinta de terciopelo.
Los canutillos se envuelven con alambre dorado y se refuerzan con pequeñas cuentas.

1 Cortar dos rectángulos de cartulina, de 4 x 7 cm. Empezando por el lado corto del rectángulo, enrollar los rectángulos en forma de tubos de 1,5 cm de diámetro.

2 Cortar dos piezas de cinta de terciopelo de 6 cm de longitud. Enrollar la cinta alrededor de cada canutillo de cartulina, con el haz visto.

3 Doblar los bordes de la cinta y coserlos con puntadas invisibles.

4 Con doble hilo metálico rojo, enhebrar una aguja y anudar el extremo. Fijar el hilo a un extremo del tubo, envolver de forma uniforme cada canutillo y sujetar el otro extremo. Cortar 40 piezas de alambre dorado de 1,5 cm de longitud. Enhebrar el hilo de cuentas en una aguja y fijarlo al canutillo. Como alternativa, enhebrar el alambre dorado y cuentas verdes. Envolver el canutillo y fijarlo.

5 Empujar el canutillo con un alfiler de sombrero a 5 mm de la parte superior. Cortar los extremos dejando la misma longitud a cada lado. Enfilar una cuenta de flor, una roja grande y tres rojas pequeñas en cada lado. Retorcer los extremos en espiral.

6 Con un alfiler de sombrero para cada canutillo, enfilar una cuenta de latón, una roja grande, una cuenta hexagonal, el tubo envuelto y después las mismas cuentas en sentido inverso. Cortar los extremos de cada alfiler y doblar a modo de lazo. Fijar los ganchos de los pendientes.

Materiales y equipo necesarios

Cartulina fina • Regla y lápiz • Tijeras • Cinta de terciopelo de 5 cm de anchura • Aguja de coser • Hilo de coser del color de la cinta •
Hilo de bordar metálico rojo • Alambre dorado texturizado • Cortaalambres • Aguja de enfilar • Hilo de cuentas a juego •
Cuentas de vidrio verdes pequeñas • 4 alfileres de sombrero • 8 cuentas de latón en forma de flor de 4 mm • 8 cuentas de vidrio rojas de 6 mm •
12 cuentas de vidrio rojas de 4 mm • Alicates de boca redonda • 4 cuentas de latón hexagonales de 7 mm • Un par de ganchos para pendientes

Botones con cuentas

Sencillos y agradecidos, estos hermosos botones añaden un toque de distinción a un vestido especial o a cualquier proyecto decorativo. El atrayente botón redondo negro se ha preparado alrededor de una bolita de corcho, y lucirá espléndido tanto en un colgante como en un collar o una pulsera. Los otros tres botones están hechos con retales de seda y tafetán. Hay que elegir entre un surtido de botones cubiertos con perlas o una sencilla borla, o el diseño de una flor.

1 Para el botón redondo negro: con un rotulador negro, cubrir la esfera de corcho completamente de tinta.

2 Enhebrar la aguja y dar unas puntadas en la parte superior de la esfera para fijarla. Ensartar una cuenta de vidrio negra pequeña y después pasar la aguja por la esfera. Enfilar otra cuenta. Llevar la aguja por el contorno de la esfera, enfilando dos cuentas por arriba y por abajo, y después en ángulos rectos para dividir la esfera en cuartos.

3 Enfilar 18 cuentas y pasar la aguja por la cuenta inferior en la esfera. Ensartar 18 cuentas más, pasar la aguja por la cuenta superior y después alrededor de la esfera en ángulos rectos.

Materiales y equipo necesarios

Rotulador negro • Bola de corcho de 1 cm de diámetro • Aguja e hilo negro • Cuentas de vidrio negras pequeñas • Rotulador •
Cubrebotón de 3 cm de diámetro • Seda • Tijeras • Hilos a juego con la seda o el tafetán •
Cuentas de vidrio transparente grandes con orificios plateados • Cuentas de cristal verde de 4 mm • Cubrebotones de 1,5 cm de diámetro •
Tafetán • Cuenta de vidrio verde de 5 mm • Cuentas de vidrio pequeñas de color cobre • Cuentas de vidrio transparentes pequeñas

4 Enfilar 16 cuentas y trabajar de arriba abajo, como antes, esta vez dividiendo la esfera en ocho secciones. Repetir con 14 cuentas, dividiendo la esfera en 16 secciones, hasta cubrirla por completo con los abalorios.

6 Para la flor: con un rotulador para tela, marcar en la seda el contorno del cubrebotón de 3 cm. Dibujar otro círculo de 1 cm más y cortar la tela.

8 Sacar la aguja por uno de los puntos marcados. Con hilo tendido, fijar el lazo con una puntada entre las cuentas novena y décima.

5 Si se pretende que la esfera negra central sea un colgante en un collar o una pulsera, fijar un hilo en la parte inferior y enfilar ocho cuentas. Introducir la aguja de nuevo en la esfera en el mismo punto para formar un lazo.

7 Marcar cinco puntos separados uniformemente en torno al círculo interior. Enhebrar una aguja y fijarla en el centro del círculo. Enfilar 20 cuentas de vidrio transparente grandes y pasar de nuevo la aguja por el mismo punto para formar un lazo.

9 Coser una cuenta de cristal verde en el centro de la flor.

10 Coser con puntadas de fruncido toda la orilla de la tela. Colocar el cubrebotón en el centro y tensar el hilo. Asegurar el cubrebotón con puntadas pequeñas y fijar la parte inferior del botón.

12 Para el botón adornado: dibujar un círculo alrededor del cubrebotón en el tafetán, y después otro círculo 7 mm mayor y cortar. Recoger el borde y fijar el cubrebotón de igual forma que en el paso 10. Enhebrar una aguja y fijarla en el centro. Enfilar una cuenta de cristal verde y varias de vidrio transparente pequeñas, y después volver a pasar la aguja por la cuenta verde. Dar otra puntada y repetir la operación hasta cubrir completamente el botón.

11 Para la borla: dibujar un círculo de 1,5 cm de diámetro en el tafetán, y después otro círculo 7 mm mayor y cortar. Enhebrar la aguja y fijarla al centro. Enfilar la cuenta de vidrio verde y ocho cuentas color cobre, y después repasar con la aguja a través de la cuenta verde y sujetarla. Recoger los bordes y fijar el cubrebotón como en el paso 10.

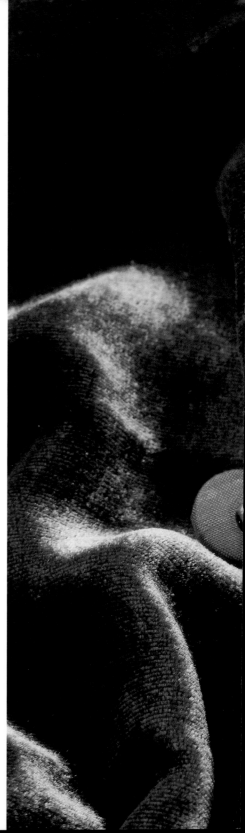

Pulseras con cuerdas de abalorios

Las cuerdas de abalorios son muy populares entre los zulúes sudafricanos, que figuran entre los más expertos y prolíficos artesanos del mundo. Esta técnica es muy sencilla: consiste en enrollar hilos con cuentas pequeñas para después coserlos en un cordón central ya preparado. Esta pulsera tiene un botón y un cierre. Para obtener un resultado llamativo, se unen los extremos del cordón entre sí en un círculo continuo. Para un collar o un cinturón, basta con ampliar la longitud del cordón. Para conseguir otros efectos pueden mezclarse abalorios de distintos colores.

1 Unir fuertemente ambos extremos del cordón con hilo. Recubrir el cordón con pintura para tela.

2 Enhebrar la aguja y fijarla a un extremo del cordón. Enfilar 20 cuentas, manteniendo el hilo tenso y empujando las cuentas en grupo. Enrollar las cuentas alrededor del cordón, dar un par de puntadas y después pasar la aguja por las últimas cuentas. Repetir la operación en todo el cordón.

3 Para terminar los extremos del cordón, enfilar varias cuentas y dar una puntada en el extremo. Coser con varias puntadas más para cubrir completamente el extremo.

4 Formar un lazo con cuentas en un extremo del cordón (*ver* Técnicas básicas). En el otro extremo, enfilar tres cuentas y después pasar la aguja por el botón. Ensartar otras dos cuentas, pasar la aguja de nuevo a través del botón y dar varias puntadas para rematar.

Materiales y equipo necesarios

Cordón grueso • Hilo • Pintura para tela del color de las cuentas • Pincel • Aguja de enfilar • Hilo de cuentas • Cuentas de vidrio pequeñas • Botón, de diámetro parecido al cordón

ADORNOS NAVIDEÑOS CON LENTEJUELAS

Las lentejuelas son magníficos adornos de Navidad, con sus reflejos y sus luminosos destellos. Lo mejor es usar lentejuelas cóncavas, no planas, para lograr una superficie más lisa. Las lentejuelas se sujetan con alfileres finos, que aportan peso.

1 Dividir la superficie de la esfera en cuartos. Marcar la parte central de la esfera para dividirla en ocho secciones.

3 Rellenar todas las secciones, de nuevo superponiendo ligeramente las lentejuelas.

5 Para la estrella, marcar varias franjas horizontales. Aplicar con presión una lentejuela en la parte superior y en la inferior. Trabajando hacia el exterior desde estos puntos, colocar lentejuelas plateadas.

2 Perfilar las secciones con lentejuelas cóncavas redondeadas, de diferentes colores. Utilizar alfileres finos para fijar las lentejuelas y superponerlas ligeramente.

4 Con una aguja e hilo enfilar cuentas de vidrio. Hay que enfilar 8 cm de cuentas de vidrio pequeñas de color bronce y anudar para formar el gancho. Ensartar una cuenta metálica en un alfiler y empujar hacia la esfera para fijar el lazo.

6 Rellenar el resto de la esfera con lentejuelas redondas. Fijar una cinta de 10 cm en la parte superior, con ayuda de un alfiler de modista y de una cuenta metálica como en el paso 4.

Materiales y equipo necesarios
2 esferas de corcho de 6 cm de diámetro • Rotulador • Lentejuelas cóncavas redondas de 5 mm de diámetro de varios colores, algunas de tonos metálicos • Alfileres finos • Aguja de enfilar • Hilo de cuentas • Cuentas de vidrio pequeñas de color bronce • Cuentas metálicas acanaladas • Alfileres de modista • Lentejuelas ovaladas con punta plateada • Cinta

PAÑUELO DEVORÉ

Este diseño de hojas en una tela de terciopelo devoré tiene reminiscencias clásicas. Algunas hojas están cortadas en la tela devoré y se funden con la base de organza; otras están cosidas con diminutas lentejuelas e hilo de seda. Para completar el efecto, entre las hojas se intercalan flores de abalorios. El pañuelo se remata con un espectacular ribete de un color que contraste.

1 Recortar un cuadrado de terciopelo devoré de 20 x 20 cm. Con una plancha caliente, fusionar la tela autoadhesiva en el revés del tejido. Cortar formas de hojas individuales de la tela con tijeras para bordar.

2 Despegar el papel de las formas de hojas. Distribuirlas en un extremo de la tela de organza (o si se prefiere, por todo el pañuelo), con el haz visto, y fusionarlas con la plancha caliente.

3 Colocar un prensatelas en la máquina de coser y ajustar la máquina en modo de zurcido. Disponer la organza en un bastidor de bordar y coser en zigzag el borde de cada hoja con un hilo a juego.

Materiales y equipo necesarios

Tijeras • 28 cm de terciopelo devoré de 130 cm de ancho con dibujo de hojas • Plancha • Tela autoadhesiva • Tijeras para bordar •
20 cm de organza de 110 cm de anchura • Máquina de coser y prensatelas • Hilos de colores a juego • Bastidor de bordar • Rotulador para tela •
Aguja • Hilo para bordar de colores a juego • Lentejuelas plateadas pequeñas • Cuentas de vidrio plateadas pequeñas •
Cuentas ovaladas azules de 5 mm • 10 cm de seda de 110 cm de anchura, de un color que contraste

4 Con un rotulador para tela, dibujar más hojas en el pañuelo.

5 Colocar el extremo con las hojas devoré en el bastidor de bordar. Para rellenar las formas dibujadas, fijar lentejuelas con un hilo de bordar a juego. Enhebrar una lentejuela y dar una puntada en un lateral. Llevar la aguja hacia arriba al otro lado, ensartar otra lentejuela e introducir la aguja en el centro de la primera lentejuela. Llevar la aguja al otro lado de la segunda lentejuela. Superponer las lentejuelas ligeramente entre sí.

6 Rellenar algunas formas dibujadas más con pequeñas cuentas plateadas aplicadas a mano. Para las flores, coser una pequeña cuenta plateada en el centro de una lentejuela. Sacar la aguja por un lado de la lentejuela y enfilar una cuenta plateada, una azul y otra plateada. Introducir la aguja en la tela y sacarla por el otro lado de la lentejuela. Coser cinco pétalos más alrededor de la lentejuela.

7 Cortar una pieza de tela devoré de 28 x 110 cm. Uniendo la parte del revés, coser a máquina la organza en los cuatro lados. Recortar tiras de tela de seda de un color que contraste de 3 cm de anchura, coserlas y presionar para formar un ribete continuo. Uniendo los haces de la tela, coser el contorno del pañuelo. Doblar los bordes, recoger las bordes y coser con puntadas invisibles.

ARRIBA: *El terciopelo devoré nunca pasa de moda y aporta una elegancia sutil e inolvidable.*

Pulsera trenzada

Inspirado en los diseños del Art Decó, se han elegido colores pastel en un dibujo geométrico. La pieza está trabajada con pequeñas cuentas de vidrio en un telar de abalorios. Al colocar la tela en la urdimbre se tensan bien los hilos (verticales), mientras que en la trama (horizontal) los hilos se pasan atrás y adelante por debajo y por encima de la urdimbre. Con estos telares pueden producirse trenzas largas y estrechas.

1 Medir el diámetro de la muñeca para determinar la longitud de la pulsera y añadir 45 cm de más. Cortar 21 hilos para urdimbre con la longitud total medida. Extender los hilos y anudarlos en cada extremo. Dividir el conjunto uniformemente en dos hebras. Deslizar un nudo sobre el cilindro. Enrollar un poco de hilo haciendo girar el cilindro, y después extender los hilos y disponerlos en el muelle unos cerca de otros.

2 Deslizar el nudo hasta el extremo de la urdimbre sobre el otro cilindro y enrollarlo. Ajustar la tensión con los cilindros: los hilos de la urdimbre deben estar muy tirantes.

3 Enhebrar una aguja de enfilar con un hilo largo y encerar el hilo. Anudar el otro extremo del hilo con el hilo más a la izquierda de la urdimbre a 2,5 cm de los cilindros.

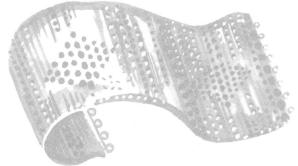

Materiales y equipo necesarios
Telar de abalorios · Hilo de cuentas · Tijeras · Aguja de enfilar · Cera · Plantilla ·
Cuentas de vidrio pequeñas de colores verde claro, rosa, gris y morado · Cinta adhesiva · Tela de lana · Aguja de coser · Hilo · 3 botones con caña

4 Siguiendo el dibujo de la plantilla mostrada al final del libro, enfilar 20 cuentas. Empujarlas en la medida de lo posible para encajarlas en su lugar entre los hilos de la urdimbre. Con el índice, empujar las cuentas en los espacios, haciendo pasar la aguja por ellas en dirección opuesta y por encima del hilo de la urdimbre.

5 Tirar del hilo con fuerza. Enfilar otras 20 cuentas y proseguir con la urdimbre del mismo modo. Para terminar, pasar la aguja de nuevo por varias filas de cuentas, hacer un nudo y cortar el hilo.

7 Cortar una pieza de tela de lana del tamaño de la pieza de labor. Recoger los bordes libres de la urdimbre por debajo y reunir la labor con las partes de revés de la tela enfrentadas. Coser el contorno de la pieza terminada con puntadas invisibles.

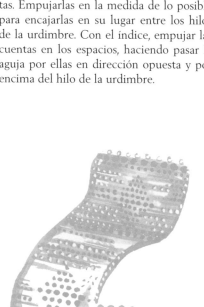

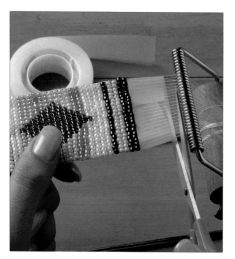

6 Para retirar la labor del telar, cortar dos piezas de cinta adhesiva y pegarlas sobre los hilos de la urdimbre en los dos extremos. Cortar los hilos.

8 En un extremo de la pulsera, coser tres botones a distancias semejantes, y en el otro extremo preparar tres ojales suficientemente grandes para los botones.

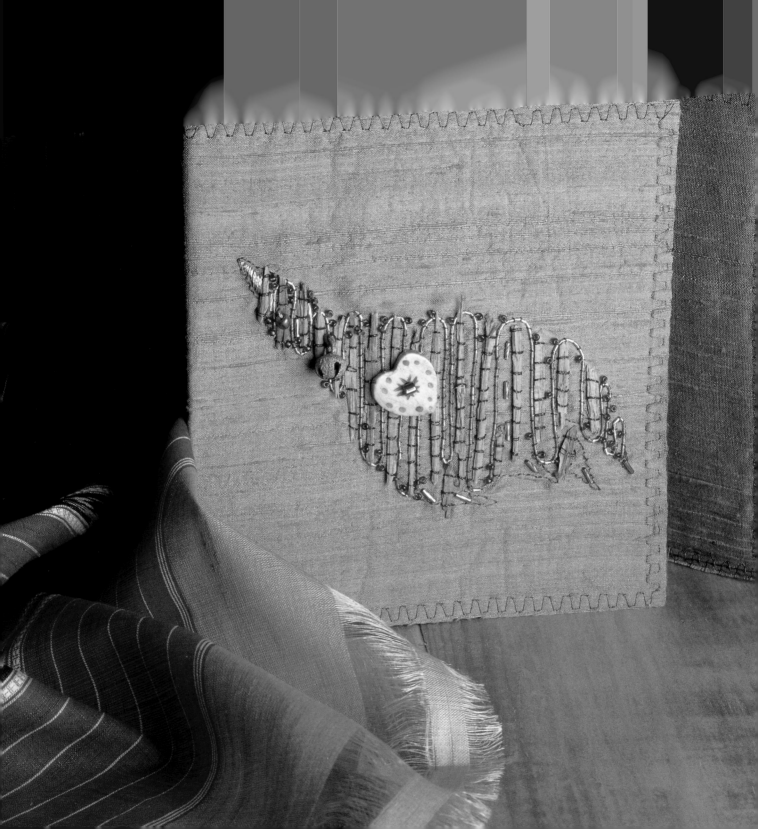

BILLETERA

El motivo de un ave de esta atractiva billetera está hecho de seda azul realzada con satén y punto corrido. Fragmentos interesantes de madera aportan contraste de textura y combinan muy bien con el motivo. Hilos dorados y de lana y un surtido de abalorios ayudan a crear una obra de arte que, una vez acabada, valdrá tanto como su contenido.

de entretela pesada de 45 x 15 cm. Cortar dos piezas de tela autoadhesiva del mismo tamaño. Aplicarlas a ambos lados de la entretela con una plancha caliente. Retirar el papel. Doblar la pieza en tercios longitudinalmente. Fusionar la pieza en el revés.

2 Cortar un cordón dorado y disponerlo recorriendo la forma, fijándolo con hilo tendido de bordar de color rojo. Coser pequeñas cuentas rojas y de otros colores al diseño. Hacer el pico y aplicar punto corrido por todo el contorno.

1 Trazar el diseño del ave y preparar una plantilla de cartulina. Para el lado superior, cortar una pieza de seda de 45 x 15 cm. Doblar la tela en tercios longitudinalmente y dibujar el contorno de la plantilla. Cortar piezas de madera y disponerlas transversalmente en la silueta del ave. Con un hilo a juego, coser la madera a la tela.

4 Dar la vuelta a la labor y fusionar la pieza superior, pasando la plancha con cuidado por la zona del bordado y los abalorios. Para el bolsillo, cortar dos piezas de seda y tela autoadhesiva y una de entretela de 15 x 15 cm y fusionarlas como antes. Colocar el bolsillo en un extremo de la billetera en el revés y fijarlo con un alfiler. Aplicar puntos decorativos en zigzag por el contorno.

3 Para el revés de la tela, cortar una pieza de seda de 45 x 15 cm. Para que la billetera tenga más consistencia, cortar una pieza

Materiales y equipo necesarios

Lápiz · Cartulina · Tijeras · Cinta métrica · Seda azul de 50 x 50 cm · Rotulador para tela · Pequeñas piezas de madera · Cúter · Aguja · Hilo de algodón grueso · Cordón dorado · Aguja de bordar · Hilo de bordar rojo, morado y plateado metálico · Cuentas de vidrio rojas pequeñas · Cuenta roja · Cuenta plateada · Cuentas doradas largas · Cuenta en forma de corazón · Cuenta de color bronce · Entretela pesada · Tela autoadhesiva · Plancha · Alfileres de modista · Máquina de coser e hilos a juego

GUANTES PINTADOS

Estos guantes llevan un tinte rojo brillante adornado con un diseño hecho a mano con abalorios diminutos.
Las cuentas se han cosido una por una, con lo que el proyecto es muy sencillo para un principiante. Se necesitará una aguja fuerte
y puntiaguda para atravesar el cuero; como alternativa, pueden usarse guantes de tela.

1 Poner los guantes para que no se contraigan. Aplicar el tinte rojo y dejarlos secar.

3 Enhebrar la aguja con hilo de nailon. Coser cuentas verdes una por una en una hilera por la parte de la bocamanga de cada guante.

5 Coser cuentas rojas a su gusto, como se muestra en la fotografía.

2 Dibujar un diseño abstracto en cada guante, con un rotulador para tela. Empezar por la parte de la bocamanga.

4 Coser más cuentas verdes siguiendo las líneas del diseño.

6 Perfilar el resto del diseño con cuentas doradas. Rellenar el diseño con cuentas rosas.

Materiales y equipo necesarios

Guantes de cuero ligeros • Tinte de cuero rojo para calzado • Pincel • Rotulador para tela • Aguja para cuero fino • Hilo de nailon •
Cuentas pequeñas de vidrio verdes, rojas, doradas y rosas

ADORNO DE PERLAS

Esta bonita diadema está repleta de curvas de perlas artificiales para componer un borde festoneado. El diseñador ha dispuesto abalorios de distintos tamaños reforzados con alambre, que pueden coserse en un pasador o una peineta pequeña. Este adorno es perfecto para sujetar el velo de una novia. Las damas de honor pueden elegir entre una amplia gama de colores perlados, en lugar del blanco.

1 Dibujar en cartulina la plantilla según el modelo del final del libro, y recortarla. Marcar dos veces el contorno de la plantilla en la entretela y cortarla.

2 Doblar un pequeño lazo en cada extremo del alambre. Coser el alambre a una pieza de la entretela a 2 cm del borde recto.

3 Siguiendo la guía de la plantilla, marcar el centro de cada festón en el lado derecho de la entretela reforzada con alambre. Coser la cuenta grande de 1 cm en el punto medio del adorno central. Pasar la aguja justo a la derecha de la última cuenta y enfilar unas ocho cuentas de 6 mm y suficientes cuentas de 4 mm para formar la espiral hasta rellenar la forma del adorno; fijar el conjunto con un punto de remate.

4 Enhebrar la aguja con un hilo a juego y aplicar pequeñas puntadas sobre el hilo de cuentas entre las perlas. Repetir la operación con los demás adornos usando cuentas de 8 mm en el centro de cada uno. Colocar tendidas las cuentas pequeñas para rellenar el resto de la entretela.

5 Coser la parte posterior del adorno de novia a la anterior con puntos invisibles. A continuación, coser las gotas perladas entre los adornos.

6 Coser la peineta por el envés a la parte inferior de la pieza que ya tiene los abalorios.

Materiales y equipo necesarios

Cartulina • Plantilla • Lápiz • Cúter • Entretela pesada • Rotulador para tela • Tijeras para bordados • Alambre de sombrerería de 17,5 cm • Alicates para joyas • Aguja de coser • Hilos a juego • Aguja de enfilar • Hilo de cuentas a juego • Una perla artificial grande de 1 cm • Perlas medianas, de 6 mm • Perlas pequeñas, de 4 mm • 4 perlas grandes, de 8 mm • Gotas perladas • Peineta de plástico

COJINES CON FLECOS DE ABALORIOS

El cojín más simple puede transformarse en un objeto espectacular con un fleco de abalorios. Los tres diseños que aquí se muestran revelan los distintos efectos que confieren cuentas de distintas formas y pesos. Las más pequeñas crean un fleco bello y delicado, y las grandes aportan mayor firmeza y vistosidad. Se deben escoger abalorios que contrasten con la tela o que se confundan sutilmente con ella. Se mide el tamaño del relleno necesario y se prevé un poco más de tela para la funda.

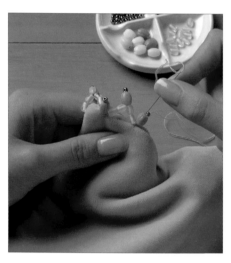

1 En el cojín amarillo con borde de cuentas: para la parte delantera de la funda, cortar una pieza de terciopelo del tamaño del relleno más 2 cm en todo el contorno. Para la parte posterior de la funda, cortar dos piezas de terciopelo de esa misma anchura y dos tercios de la longitud. Dobladillar los dos lados de la parte posterior de la funda y coser el dobladillo a máquina. Con los haces de la tela enfrentados y los bordes cosidos solapándose, marcar con alfileres las piezas de la funda para unirlas y coser a máquina el contorno. Dar la vuelta a la tela.

2 Enhebrar una aguja de enfilar con doble hilo de coser. Dar varias puntadas de refuerzo en la costura en una esquina. Trabajando de izquierda a derecha, enfilar dos cuentas de vidrio blancas, una amarilla y una de color cobre. Pasar la aguja de nuevo por la cuenta amarilla y ensartar dos cuentas de vidrio blancas. Introducir la aguja en la costura 2 cm a la derecha.

3 Aplicar una puntada pequeña y después enfilar una cuenta opaca azul o blanca y una cuenta de color cobre. Pasar la aguja por la cuenta azul o blanca, y después introducirla 2 cm por delante. Repetir la secuencia en toda la funda.

Materiales y equipo necesarios

Cinta métrica • Relleno de cojín cuadrado • Tijeras • Terciopelo amarillo • Plancha • Máquina de coser e hilo a juego • Alfileres de modista • Aguja de enfilar • Hilo a juego • Cuentas de vidrio blancas de 5 mm • Cuentas amarillas opacas de 7 mm • Cuentas de vidrio pequeñas de color cobre • Cuentas blancas opacas de 7 mm • Cuentas azules opacas de 7 mm • Relleno de cojín rectangular • Tela de rayas • Rotulador para tela • Papel cuadriculado • Lápiz • Cuentas de vidrio pequeñas rosas y amarillas • Cuentas amarillas en forma de disco de 7 mm • Relleno de cojín rectangular • Terciopelo rosa • Cuentas de vidrio pequeñas amarillas y rosas • Cuentas de vidrio blancas de 5 mm • Cuentas de vidrio color turquesa de 5 mm

4 En el cojín de rayas con flecos: para la parte delantera de la funda, cortar una pieza de tela del tamaño del relleno del cojín más 2 cm a lo ancho y 20 cm en sentido longitudinal. Para la parte posterior de la funda, cortar dos piezas de la misma anchura que en la parte delantera y dos tercios su longitud. Hacer un dobladillo en los bordes cortos y coserlo a máquina.

5 Con los haces de la tela enfrentados y los bordes cosidos solapándose, marcar con alfileres y coser longitudinalmente. Dar la vuelta a la tela y presionar. Marcar una línea a 10 cm de las orillas en ambos lados y coserlas. Tirar con cuidado de la tela cerca de la costura. Empezando por los bordes exteriores, separar y retirar los hilos hasta la línea.

6 Marcar una longitud de 10 cm para el fleco en papel cuadriculado. Cortar un hilo que mida cuatro veces este valor y enhebrarlo. Introducir la aguja en el borde interior de la primera raya de la tela y fijar el hilo con un nudo. Pasar la aguja por el lazo y tirar para tensar el hilo.

7 Mezclar cuentas rosas y amarillas. Enfilar 9,5 cm de abalorios, usando como guía el papel cuadriculado. Ensartar el abalorio en forma de disco y la pequeña cuenta amarilla. Pasar la aguja por el disco, dar una puntada de remate, pasar la aguja por encima del hilo y volver a aplicar un punto de remate. Tirar con suavidad del hilo para alisarlo. Cortar el hilo. Repetir la operación en las otras rayas.

8 Para el cojín con fleco en celosía, preparar la funda de terciopelo como en el paso 1. Marcar puntos con una separación de 1,5 cm en los dos lados opuestos.

9 Repetir esta secuencia en toda la longitud del cojín. Fijar la costura en una esquina con varias puntadas diminutas. Mezclar varias cuentas amarillas y rosas enfiladas durante 2 cm. Añadir una cuenta blanca, 2 cm de rosa o amarillo y una turquesa y una de color cobre. Con la cuenta de color cobre como sujeción, pasar la aguja por el abalorio de color turquesa, enfilar 2 cm de cuentas rosas o amarillas, una cuenta blanca grande y después más cuentas rosas o amarillas. Introducir la aguja en el terciopelo en el tercer punto marcado.

10 Dar una puntada para llevar la aguja al segundo punto marcado. Enfilar 2 cm de cuentas rosas o amarillas y después pasar la aguja por la cuenta blanca ya en su lugar.

11 Enfilar otros 2 cm de cuentas rosas o amarillas, una turquesa y una de color cobre. Repetir la secuencia en celosía a ambos lados del cojín hasta completar todo el borde.

COJÍN DE TERCIOPELO

Para conseguir flecos y orillas firmes, un alambre da cuerpo hasta a los abalorios más delicados y es, por tanto, ideal para proyectos de ornamentación. En este espectacular cojín, unas pequeñas cuentas de vidrio en fuerte contraste cromático se enfilan en el alambre y después en el terciopelo para crear rizos en tres dimensiones. El fino alambre actúa a modo de aguja y se enhebra para «coser» la tela.

1 Medir el diámetro del extremo del cojín de almohada y dividirlo por la mitad para obtener el radio. Dibujar un círculo de este tamaño en papel, con un compás, y re-marcarlo, añadiendo 1,5 cm de holgura para la costura. Cortar dos círculos de ter-ciopelo.

2 Medir la longitud y la circunferencia del cojín. Cortar una pieza de terciopelo gofrado de este tamaño más 3 cm de hol-gura para la costura en todo el contorno.

3 Atar un extremo de un alambre para cuentas en un nudo y pasar el alambre por el centro de un círculo de terciopelo a la derecha. Enfilar cuentas rojas durante 10 cm. Introducir el extremo del hilo de nuevo en el terciopelo a 4 cm del nudo para formar un lazo.

Materiales y equipo necesarios

Relleno para cojín • Cinta métrica • Compás • Lápiz y papel • Tijeras • 50 cm de terciopelo gofrado azul-negro de 1 m de ancho • Alambre para cuentas de 0,2 mm • Cuentas de vidrio pequeñas rojas • Aguja de coser • Hilo a juego • Máquina de coser e hilos a juego • Alfileres de modista

4 Introducir de nuevo el alambre por el tejido desde el primer lazo. Formar un segundo lazo del mismo modo. Repetir la operación hasta obtener unos 20 lazos. Fijar bien el alambre. Repetir la operación para el segundo círculo.

6 Con los lados vistos de la tela unidos, doblar por la mitad longitudinalmente una pieza grande de terciopelo gofrado. Coser a máquina la orilla larga, dejando una costura de 1,5 cm. Dejar un espacio suficientemente grande para el relleno.

7 Introducir el relleno, marcar con alfileres y coser con puntadas invisibles.

5 Aplicar punto de fruncido alrededor de cada círculo, con un hilo a juego.

SAQUITO ACOLCHADO

Inspirada en motivos étnicos, esta atractiva bolsita está hecha de tela ikat tradicional de Indonesia, forrada con una tela sencilla en contraste. El forro actúa también como elemento de fijación de los cordones. La bolsa está acolchada con punto sencillo y va decorada con un fleco de cuentas de vidrio que imita el diseño diagonal de las costuras. Este proyecto es perfecto para iniciarse en el arte de los abalorios.

1 Cortar la tela ikat en dos piezas cuadradas de 15 cm. En el haz de cada pieza, trazar líneas en diagonal de esquina a esquina ambas dos direcciones, y después marcar líneas en paralelo a las anteriores cada 2 cm.

2 Dibujar una forma de bolsa similar a la fotografía y copiarla en cartulina. Extender la plantilla de cartulina en ambas piezas de la tela ikat y cortar. También cortar dos piezas de tela lisa de 16 x 20 cm para el forro. Con las líneas marcadas hacia arriba, hilvanar una pieza del bolsito en cada pieza del forro. Con punto sencillo, coser las líneas. Recortar el exceso de tela del forro.

3 Para la envoltura, cortar dos piezas de tela de forro de 7 x 12 cm. Presionar por la mitad en sentido longitudinal y después en 1 cm dándole la vuelta. Marcar con alfileres un borde largo de la parte superior de la bolsa, tal como se muestra, y coserlo a máquina. Repetir la operación con la segunda pieza.

Materiales y equipo necesarios

Tijeras • Tela ikat de 30 x 15 cm • Escuadra o regla • Rotulador para tela • Lápiz y papel • Cartulina gruesa • Tela de color liso 35 x 35 cm, que contraste • Plancha • Alfileres de modista • Máquina de coser e hilo a juego • Aguja e hilo para el forro • Aguja de enfilar • Hilo de bordado negro • Cuentas de vidrio pequeñas negras • Cuentas de vidrio pequeñas multicolores • 2 cordones de zapato negros de 50 cm • 12 cuentas grandes con orificios grandes

4 Colocar los haces de ambas piezas enfrentados. Marcar con alfileres y coser a máquina a 1 cm de los bordes. Dejar la parte superior abierta.

6 Enhebrar una aguja de enfilar con hilo de bordar y fijarla en un extremo de la línea de costura a máquina. Enfilar siete cuentas negras y una de color y pasar la aguja de nuevo por la última cuenta negra. Enfilar otras seis cuentas negras y dar una pequeña puntada en la línea de costura a 1 cm del lateral. Repetir la operación por toda la costura.

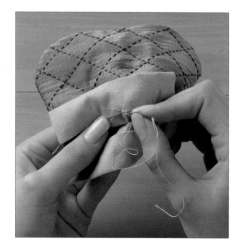

5 Dar la vuelta a la tela. Doblar las envolturas sobre los bordes y coser con puntadas invisibles.

7 Introducir un cordón en cada envoltura. Enfilar tres cuentas grandes, llevarlas hasta el extremo de cada cordón y anudarlas. Atar los dos cordones entre sí por los extremos.

Zapatillas de niño

En lugar de coser las cuentas una por una, en este proyecto se han dispuesto grupos de canutillos sobre cada zapatilla con un segundo hilo para fijar los abalorios. Las plantillas de las páginas finales del libro corresponden a la zapatilla izquierda; hay que darles la vuelta para obtener la forma de la derecha. Para tamaños mayores se puede aumentar la escala de las plantillas en una fotocopiadora o un ordenador.

1 Ampliar las plantillas de las últimas páginas del libro según el tamaño que se necesite. Para cada zapatilla, cortar cuatro piezas de lana azul. Coser las costuras posteriores, y montar cada par, uniendo la parte del revés de la tela. Coser en zigzag los cantos superior e inferior. Con la máquina de coser y el prensatelas, coser líneas onduladas sobre las piezas para acolcharlas.

2 Para el bies, doblar un cuadrado de terciopelo por la mitad en diagonal, desdoblarlo y marcar la línea. Marcar líneas en paralelo en la tela separadas 3 cm. Cortar por las líneas. Igualar los bordes del bies con el canto superior de la pieza de lana. Coser el bies a 6 mm del canto de la zapatilla, doblarlo y remeterlo bajo las orillas. Coser con puntos invisibles.

3 Cortar una pieza de tela del tamaño de la plantilla para la puntera. Coser la pinza. Cortar la pieza para el aplique de abalorios y marcarla con alfileres a la puntera, como en la imagen. Coser con puntos en zigzag por el contorno del aplique.

4 Coser 30 cm de bies en el canto superior de la puntera, doblando el bies por la mitad a lo ancho y marcándolo con alfileres. Marcar el doblez con alfileres en el centro del canto delantero de la puntera, con los haces enfrentados. Fijar con alfileres todo el contorno del canto superior y coser a 6 mm del borde.

Materiales y equipo necesarios

Plantillas • Papel y lápiz • Tijeras • Tela de lana azul claro de 50 x 50 cm • Máquina de coser y prensatelas • Hilos de coser a juego • Terciopelo gris oscuro de 30 x 30 cm • Rotulador para tela • Aguja de coser e hilo a juego • Alfileres de modista • Aguja de enfilar • Hilo de cuentas • Canutillos dorados • Tela de lana gris de 20 x 20 cm • Forro suave de 20 x 20 cm

5 En la parte superior de la pieza del aplique, dar varias puntadas de refuerzo y enfilar suficientes canutillos para seguir la línea de la pieza. Introducir la aguja de enfilar en el otro lado.

7 Cubrir completamente el aplique con puntos de hilo tendido que sigan los contornos de la primera fila de canutillos.

9 Igualar el centro con el talón de la suela y fijar con alfileres la pieza alrededor de dicha suela. Marcar con alfileres y coser a máquina a 6 mm del canto. Fijar la puntera con alfileres en su lugar, y coserla a máquina. Coser los lados de la puntera con la pieza posterior de la zapatilla. Fijar el bies con alfileres en torno a la base de esta pieza posterior, girar ambos extremos bajo el centro y coser la unión con puntos invisibles. Doblar el bies sobre el canto de la suela, y coser de nuevo con puntos invisibles.

6 Enhebrar una segunda aguja, dar pequeñas puntadas sobre el hilo tendido entre el primer y el segundo abalorio y empujar el tercero suficientemente cerca, antes de aplicar otro punto de hilo tendido entre este y el cuarto canutillo.

8 Para cada zapatilla, cortar dos piezas de lana gris y una de forro suave del tamaño de la plantilla. Colocar el forro entre las piezas de lana. Ajustar la máquina de coser en modo fruncido y acoplar un prensatelas para coser una línea ondulada con la que acolchar las capas. Trabajar con puntos en zigzag por todo el contorno.

Collar para botella

Esta exquisita decoración está hecha con abalorios entrelazados (*ver* Técnicas básicas). Crea una estructura abierta semejante a un encaje y, aunque parece complicada, en realidad es muy sencilla. Con una aguja, se enfila cada sarta de cuentas trenzándola con la anterior, de manera que la segunda se ajuste entre cada par de abalorios de la primera. El número de cuentas de cada vuelta va en aumento, y el collar crece hasta cubrir el cuello de la botella como si fuera una red.

2 Para la vuelta 2, pasar la aguja por la primera cuenta de la vuelta 1, añadir una cuenta roja y pasar la aguja por cuentas verde claro alternas. Seguir enfilando cuentas rojas entre cada par de cuentas verdes. Pasar la aguja por la primera cuenta roja de esta serie para iniciar la vuelta 3.

1 Empezar por enfilar un número par de cuentas verde claro en un hilo largo. Se obtendrá así la vuelta 1 del collar. Disponerla alrededor del cuello de la botella y anudar los extremos.

3 Para la vuelta 3, ensartar una cuenta verde claro entre cada par de cuentas rojas. Pasar la aguja por la primera cuenta verde claro de esta vuelta para comenzar con la vuelta 4.

4 Para la vuelta 4, enfilar una cuenta ovalada, una verde claro y otra ovalada, y pasar la aguja a través de la segunda cuenta verde claro de la vuelta 3 para formar lazos.

Materiales y equipo necesarios

Aguja de enfilar • Hilo de cuentas • Cuentas de vidrio redondas verde claro de 4 mm • Botella de vidrio, con tapón de corcho • Cuentas de vidrio rojas en forma de rombo de 5 mm • Cuentas de vidrio ovaladas verde brillante de 5 mm • Cuentas de vidrio moradas pequeñas • Cuentas de vidrio plateadas • 8 gotas grandes con incrustaciones metálicas plateadas • Tijeras • Alfileres finos

5 Para la vuelta 5 enfilar las siguientes cuentas: tres moradas, una verde claro, una roja, una verde claro, seis moradas, una verde claro, una roja, una plateada. Pasar la aguja por las cuentas roja y verde claro y después enfilar siete cuentas moradas, una verde claro, una roja, una verde claro y tres moradas.

6 Pasar la aguja a través de la tercera cuenta verde claro de la vuelta 4. Repetir la secuencia en todo el collar. Pasar la aguja por la primera cuenta verde claro de la vuelta y después por la cuenta ovalada, una verde claro y otra ovalada. Pasar la aguja por la segunda cuenta verde claro para iniciar de nuevo la secuencia.

7 Para la vuelta 6, enfilar tres cuentas moradas y una verde claro a través de las cuentas rojas de la vuelta 5. Añadir una cuenta verde claro, nueve moradas, una verde claro, una gota, una roja y una plateada. Pasar la aguja por tres cuentas anteriores: roja, gota y verde claro. Enfilar nueve cuentas moradas y una verde claro y después pasar la aguja por la cuenta roja de la vuelta 5. Enfilar una cuenta verde claro y tres moradas y pasar la aguja por la cuarta cuenta verde claro de la vuelta 4. Repetir la secuencia. Tirar del hilo para tensarlo y fijarlo. Pasar la aguja por varias cuentas y cortar el hilo.

8 Enfilar una cuenta plateada y una roja en cada alfiler y después introducirlo en el corcho en un ángulo ligeramente abierto hacia fuera desde el borde. Clavar una cuenta plateada y una gota grande en el centro del tapón de corcho.

PORTAVELAS DE ABALORIOS

Para preparar un objeto en tres dimensiones, los abalorios se enfilan en el alambre y se enrollan en torno a un armazón construido sobre una forma rígida que se retira al final. También pueden prepararse cuencos y otros recipientes con el mismo procedimiento.

1 Cortar dos piezas de alambre de 0,6 mm del doble de la altura y el diámetro del vaso, más 10 cm de margen. Unir los alambres, retorciéndolos, por su punto medio y pegar con cinta adhesiva el nudo en el centro de la base del vaso de cristal. Extender una cinta elástica sobre el vidrio para sujetar el hilo. Doblar los extremos sobre los bordes del vaso.

2 Cortar dos piezas de alambre de 0,2 mm de 1 m de longitud. Buscar el punto medio y retorcer las dos piezas alrededor del nudo de la base del vaso. Mantener el hilo enrollado en la mano para que no se enrede.

3 Enfilar cuentas de vidrio grises en el alambre dorado de 0,6 mm.

4 Para empezar a moldear el alambre, utilizar los alicates para formar con un extremo del resto del alambre grueso una espiral plana de 2 cm de ancho. Fijarla en el centro de la base trenzando el alambre fino por encima y por debajo del soporte y del alambre en espiral.

5 Enfilar más cuentas grises en el alambre y seguir el diseño en espiral, trenzándolo con el alambre fino por encima y por debajo del soporte. Continuar por los laterales del vaso hasta 1 cm de la parte superior.

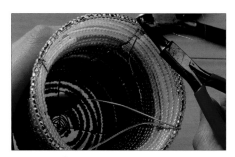

6 Retirar el elástico. Para el borde, inclinar hacia fuera la parte superior del soporte y enfilar cuentas blancas. Seguir trenzando el alambre fino por encima y por debajo del grueso y del soporte. Enfilar pequeñas cuentas doradas. Abrir los extremos del soporte, retirar el vaso, cortar los extremos y doblarlo de nuevo. Con el alambre fino, asegurar los extremos al soporte.

Materiales y equipo necesarios

Cortaalambres • Alambre dorado de 0,6 mm • Vaso de cristal • Cinta adhesiva • Cinta elástica grande • Alambre dorado de 0,2 mm • Alicates de boca redonda • Cuentas de vidrio grises de 4 mm • Cuentas de vidrio blancas de 4 mm • Cuentas de vidrio doradas de 4 mm

Paño para cubrir la jarra de leche

El bordado y los abalorios forman una combinación tradicional: las cuentas realzan el delicado dibujo del encaje. Los abalorios, con su peso, permiten que la tela cumpla con su función de cubrir el recipiente. Para el verano pueden prepararse paños más grandes con los que cubrir las jarras de sidra o limonada.

1 Dibujar el contorno de la jarra en la muselina. Cortarlo, dejando un margen de 1,5 cm alrededor. Formar un dobladillo e hilvanarlo.

3 Enhebrar la aguja con hilo de cuentas. Coser una fila de cuentas alternas de colores verde claro y oscuro por el borde de la muselina.

2 Dar puntadas de recogida en todo el borde superior de la tira bordada y prepararlo para unirlo a la muselina. Coser el bordado a la muselina con puntos invisibles por las orillas. Cortar lo que sobre del dobladillo.

4 Fijar el hilo en el punto de un festón en la tira bordada. Enfilar dos cuentas rosas, un corazón verde, una cuenta rosa, dos verde oscuro, tres verde claro, cinco blancas, una veneciana, cinco blancas, tres verde claro, dos verde oscuro, una rosa, un corazón verde y dos rosas.

5 Introducir la aguja en otro punto de festón y pasarla por las dos últimas cuentas rosas y por el corazón verde para formar un lazo. Continuar con esta secuencia en todo el contorno. Remarcando los delicados dibujos de la tira bordada, coser pequeñas florecitas. Coser dos filas de cuatro cuentas rosas, una a continuación de la otra, con una cuenta verde oscuro en el centro.

Materiales y equipo necesarios

Rotulador para tela • Plato pequeño • Unos 20 x 20 cm de muselina • Tijeras • Aguja fina • Hilos a juego • Tira bordada, 50 cm • Hilo de cuentas • Cuentas de vidrio pequeñas de 2 mm: verde claro, verde oscuro, blancas y rosas • Cuentas verdes en forma de corazón • Cuentas venecianas blancas de 5 mm

Álbum fotográfico de «Petit point»

Una artesanía victoriana tradicional recreada con un diseño moderno y atrevido. Los vistosos abalorios contrastan con el tono mate de los hilos que cubren el soporte. Esta técnica fue muy popular en el siglo XIX para cubreteteras, almohadones y asientos. Para el álbum de fotografías se utilizará papel negro; en un diario es preferible papel blanco o de colores pálidos.

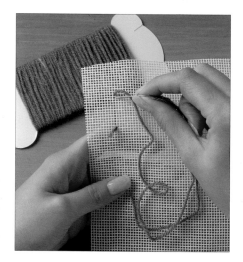  

1 El soporte se trabaja con *petit point*. Doblar un hilo de lana para tapices en la aguja y anudar los extremos. Introducir la aguja desde la derecha en la tela y llevarla 2 cm hacia la izquierda. Para cada punto, introducir la aguja en el orificio en diagonal por debajo y a la derecha, y sacarla por el orificio inmediatamente superior.

2 Dar varios puntos hasta cubrir el extremo de la lana, y después cortar el nudo con las tijeras.

3 Continuar la labor en filas, conformando el dibujo que se propone al final del libro. Dejar un borde amplio alrededor y huecos para incluir los abalorios. Incluir los matices de verde, tal como se muestra.

Materiales y equipo necesarios

Lana para tapices, en tonos de verdes • Aguja para tapices • Tela para tapices de 48 x 34 cm, diez orificios a 2,5 cm • Tijeras para bordados • Diseño al final del libro • Aguja de enfilar • Hilo de cuentas a juego • Cuentas de vidrio de 2 mm: color cobre, azul claro, dorado, plateado y negro • Cúter y regla • Cartulina • Tela para encuadernar • Clips • Pegamento • Cinta adhesiva • Papel blanco o negro • Perforadora • Un par de tornillos para encuadernar

4 Enhebrar la aguja con hilo de cuentas. Coser las cuentas una por una, con *petit point* en diagonal en dirección opuesta a los puntos hechos con la lana; así, las cuentas se tenderán en la misma dirección que estos puntos.

5 Cada cuatro o cinco puntos, dar dos puntadas de refuerzo para que las cuentas no se desprendan.

6 Completar el trabajo con los abalorios según el dibujo que se proporciona al final del libro, con diferentes colores de cuentas.

7 Cortar dos piezas de cartulina del tamaño del bordado final más 10 cm a lo largo. Trazar una línea a 10 cm del borde corto izquierdo en las dos piezas. Para la contracubierta, cortar una pieza de tela para encuadernar del tamaño de la cartulina más 2 cm de margen en el contorno, y sujetar las esquinas con clips. Pegar el soporte de papel y presionarlo sobre la cartulina. Doblar los bordes y encolarlo. Como recubrimiento, cortar una segunda pieza de tela para encuadernar del tamaño de la cartulina y pegarla en la contracubierta, por dentro.

8 Para la cubierta, extender el bordado sobre la segunda cartulina, alineándolo por la derecha, con un margen. Estirar la tela sobre la cartulina y pegar los lomos con cinta adhesiva por el interior. Pegar con cinta adhesiva el lateral izquierdo del bordado. Cortar una pieza de tela de 12 cm para cubrir la anchura de la cartulina más 4 cm. Igualar la orilla del bordado y encolarlo. Doblar los bordes de la tela sobre la cartulina y encolarlos. Alinear la cubierta con la contracubierta.

9 Cortar 40 piezas de papel de 1 cm menos que el contorno de la cartulina. Marcar la posición de los orificios en las cubiertas y en el papel, y hacer orificios con la perforadora. Colocar el papel entre las dos cubiertas y fijarlo con los tornillos para encuadernar.

LÁMPARA EN ESPIRAL

En esta versión moderna y delicada de un portavelas tradicional, gotitas de vidrio coloreado penden de una sencilla estructura de alambre en espiral y emiten destellos. Se ha de suspender la lámpara del techo con un sedal resistente. Para un máximo efecto, se colocará el artilugio frente a una ventana o, con cuidado, sobre una fuente de luz para que la iluminación se filtre entre los abalorios.

1 Con el cortaalambres, seccionar dos medidas del alhambre grueso de 120 cm de largo. Doblar las piezas en espiral.

2 Con los alicates, formar un pequeño lazo en cada extremo de las dos piezas de alambre.

3 Reunir las dos espirales de alambre y fijarlas bien, tal como se muestra en la imagen.

Materiales y equipo necesarios

Cortaalambres • 250 cm de alambre de 2 mm • Alicates de boca redonda • Alambre de 0,2 mm • Surtido de cuentas esféricas y facetadas y abalorios de plástico y de vidrio • Canutillos de 4 mm

4 Para las gotitas, ensartar una pieza de alambre fino a través de una cuenta de vidrio esférica grande y una pequeña; esta última actuará como elemento de fijación. Pasar el alambre de nuevo por las cuentas y reforzar los extremos.

6 Enrollar una pieza corta de alambre en cada tira larga. Doblar los extremos en forma de gancho, con los alicates.

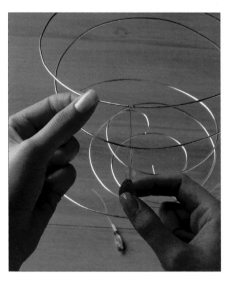

8 Para mantener la forma espiral, retorcer algunas de las gotitas en dos series de la espiral.

5 Enfilar varios canutillos, y enroscar los extremos para formar una tira recta. Preparar unas 30 gotitas, con diferentes abalorios en distintas configuraciones.

7 Colocar las gotitas a distancias regulares en el soporte en espiral.

9 Para terminar, añadir algunos abalorios en los extremos del soporte en espiral.

MARCO CON FLORES

Es posible componer estructuras en tres dimensiones engañosamente frágiles enfilando abalorios en un alambre que después se enrosca para que las cuentas no se desprendan. Canesús de hojas y flores, diademas y broches adornados con abalorios fueron muy populares en tiempos victorianos. Se mezclarán cuentas pequeñas de colores y se utilizarán abalorios translúcidos, no opacos, para reproducir los tonos delicados de los pétalos y las hojas naturales.

1 Para las hojas, cortar 22 cm de hilo de cuentas o alambre de 0,4 mm. Formar un pequeño nudo en un extremo para que las cuentas no se desprendan. Mezclar varias cuentas rosas y amarillas. Doblar el alambre por la mitad, enfilar 18 cuentas y empujarlas hasta el doblez, y después retorcer el alambre para formar un lazo de abalorios.

2 Enrollar el alambre de trabajo alrededor y por debajo de la tira recta 5 mm, formar otro lazo y enfilar 18 cuentas más. Envolver otra vez la parte recta con el alambre y preparar un nuevo lazo a la misma altura. Formar dos pares más de lazos en el tramo recto. Enroscar el alambre alrededor de dicho tramo.

3 Cubrir totalmente la parte recta con el hilo de seda.

Materiales y equipo necesarios

Cortaalambres • Hilo de cuentas de 0,4 mm • Alicates de boca redonda • Cuentas de vidrio pequeñas de color blanco, rosa y amarillo • Hilo de seda • Taladro y broca pequeña • Marco de madera • Gafas protectoras • Hilo de cuentas de 0,2 mm

4 Cortar 40 cm de alambre para la flor pequeña, y 50 cm para la grande. Doblar el alambre a 10 cm de un extremo y modelarlo en un pequeño círculo. Enroscar el alambre para formar un soporte. Elegir varias cuentas rosas y blancas; enfilar 24 cuentas para la flor pequeña y 30 para la grande.

6 Ensartar más cuentas y retorcer el alambre alrededor de la parte superior del lazo. Enfilar 16 cuentas para la flor pequeña y 24 para la grande.

8 Para el centro de la flor, enfilar 12 cuentas amarillas y retorcer en media espiral. Empujar el alambre hacia el centro y enroscarlo alrededor de la parte recta.

5 Formar un lazo enroscando el alambre alrededor del círculo.

7 Añadir más cuentas y enroscar el alambre alrededor del soporte en espiral. Para formar más pétalos, preparar otros cuatro lazos colocados en torno al soporte en espiral.

9 Colocar las flores y las hojas de abalorios, marcar los puntos y taladrar unos orificios.

10 Introducir en los orificios los tallos de las flores y las hojas de abalorios y enroscarlos en forma de nudo en la parte trasera del marco.

11 Cortar el alambre. Usar el alambre fino para asegurar los nudos en la parte trasera del marco y que los adornos no se muevan.

CORTINA DE ABALORIOS

Esta exótica decoración para una ventana está diseñada para resaltar unos hermosos abalorios de vidrio soplado. La luz que se filtra por la cortina intensifica su color y realza su toque de filigrana. Las cuentas son de cristal, con lo que la cortina es bastante pesada y obliga a que las uniones sean muy sólidas. No es necesario que la cortina cubra toda la ventana.

1 Medir la anchura deseada de la cortina y cortar la madera. Marcar puntos separados 2,5 cm entre sí y a 2,5 cm de los bordes, como en la fotografía. Taladrar pequeños orificios en esos puntos.

2 Para cada orificio, cortar una medida de sedal del doble de la longitud de la cortina más 60 cm. Pasar los dos extremos por el orificio y después hacer un lazo y tirar del hilo para tensarlo. Procurar que los lazos no se enreden entre sí. Cortar el sobrante.

3 De izquierda a derecha, enfilar las siguientes cuentas: (longitud 1) ocho azules y una de vidrio soplado, (longitud 2) 12 azules y una de vidrio soplado, (longitud 3) 16 azules y una de vidrio soplado, (longitud 4) 12 azules y una de vidrio soplado. Repetir la secuencia hasta completar la anchura de la cortina.

4 Para la fila 2, de nuevo de izquierda a derecha, añadir 16 cuentas azules y una de vidrio soplado. Para la fila 3, 12 azules y una de vidrio soplado. Para la fila 4, ocho azules y una de vidrio soplado.

5 Para la fila 5, añadir cuatro cuentas azules, una verde, dos azules, una verde, una azul, una verde, una azul, 12 verdes y una de vidrio soplado.

6 Para la fila 6, añadir 20 cuentas verdes y una de vidrio soplado. En hilos alternos, añadir tres verdes y un colgante. Pasar todos los hilos a través de las últimas cuentas. Terminar con un nudo por debajo del último abalorio de vidrio soplado. Anudar cada hilo consigo mismo, y preparar otros siete nudos. En hilos alternos, añadir una cuenta verde. Pasar el hilo a través de la penúltima cuenta.

Materiales y equipo necesarios

Cinta métrica • Sierra • Riel de madera, de al menos 5 cm de ancho • Lápiz • Taladro y broca fina • Sedal • Tijeras • Cuentas de vidrio ovaladas azules de 5 mm • Cuentas de vidrio soplado • Cuentas de vidrio ovaladas verdes de 5 mm • Colgantes de cristal grandes

Mampara de efecto cascada

En esta moderna y atractiva mampara parecen caer pequeñas gotas de agua en cascada. El efecto se consigue con abalorios de plástico transparente suspendidos de un fino hilo plateado. Si se usan cuentas de diferentes tamaños, el diseño quedará mejor. El hilo para la máquina de coser puede utilizarse directamente desde el carrete sin necesidad de aguja para enfilar las cuentas. Se prepararán tres paneles a juego para la mampara.

1 Para cada panel de la mampara, cortar dos piezas de madera de 140 cm de longitud y dos piezas de 40 cm de largo. Lijarlas muy bien.

2 Acoplar las dos piezas cortas en los extremos de las largas. Colocar las escuadras en los ángulos y marcar la posición de los tornillos. Con una broca para igualar, taladrar orificios en esos puntos. Atornillar las escuadras.

3 Aplicar al panel dos capas de emulsión blanca y dejarlo secar. Pintar las esferas con dos capas de pintura plateada y dejarlas secar.

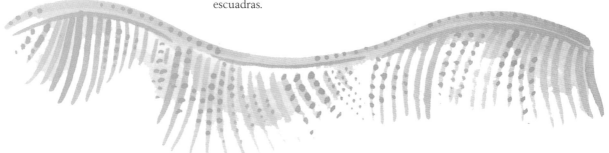

Materiales y equipo necesarios

Sierra • 11 m de madera de 5 x 5 cm • Papel de lija y taco para lijado • 12 escuadras en ángulo recto y tornillos • Taladro y brocas • Destornillador • Pincel • Pintura de emulsión blanca • 12 esferas de madera de 7 cm de diámetro • Pintura plateada • Martillo • Clavos largos • Tubo de plástico de 1 cm de diámetro • 6 bisagras • 12 tornillos • Espigas • Cuentas de plástico transparente, de varios tamaños • 2 carretes de hilo de bordar a máquina plateado • Cuentas de vidrio plateadas pequeñas • Tijeras

4 Poner clavos de 3 cm arriba y abajo en el borde interno de cada madera lateral.

6 Marcar la posición de las bisagras en los laterales, a 30 cm de la parte superior y la inferior. Comprobar que la mampara se pliega bien y atornillar las bisagras.

8 Enfilar las cuentas transparentes en una secuencia aleatoria directamente en uno de los carretes del hilo plateado. Dejar huecos de 10-30 cm entre los grupos de abalorios, anudando el hilo después de cada grupo.

5 Para cada panel, cortar dos piezas de tubo de plástico de 45 cm de largo e introducir cada pieza en el saliente de los clavos.

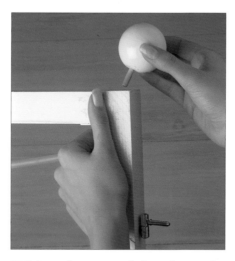

7 Marcar la posición de las esferas en los cuatro ángulos. Cortar cuatro espigas de 5 cm de largo. Taladrar orificios en el marco y en las esferas con una broca del tamaño de la espiga. Introducir la espiga en las esferas, y después en el marco.

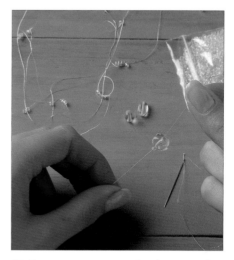

9 Ensartar una cuenta de plástico y después pasar el hilo de nuevo por la cuenta. Enfilar pequeñas cuentas de vidrio plateado en grupos de tres o más. Fijar el extremo del hilo y cortarlo.

10 Sacar un poco el hilo plateado del otro carrete. Atar un extremo en la pieza inferior del tubo del primer panel. Pasar el carrete por encima del tubo en la parte superior, y después por debajo en la inferior. Proseguir con esta operación en toda la anchura del panel.

11 Envolver el tubo con el hilo con los abalorios. Repetir la operación con los demás paneles.

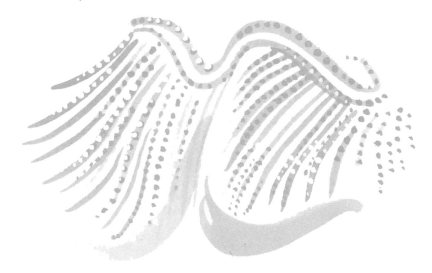

PANTALLA DE LÁMPARA CON FLECOS

Los abalorios de vidrio despliegan toda su magia y colorido cuando se iluminan por detrás. Hasta una simple pantalla de papel puede cobrar vida con un espectacular colgante de cuentas de colores.

1 Dibujar a mano tiras de distintas anchuras longitudinalmente en la pantalla blanca. Dejarla secar.

2 Con una aguja puntiaguda, perforar una fila de orificios separados 5 mm en el borde inferior de la pantalla.

3 Cortar hilo amarillo de longitud doble a la que se desea para los colgantes, más 25 cm, y enhebrar la aguja de enfilar. Pasar la aguja por un orificio y después hacer un lazo y tirar de él para tensarlo.

4 Marcar la secuencia de abalorios en papel cuadriculado. Enfilar cuentas pequeñas: 11 cm de amarillas, una morada, una amarilla, una morada y una amarilla. Añadir un canutillo, y después cinco cuentas amarillas y cuatro moradas alternas. (En los hilos alternos, añadir dos más de cada color). Añadir tres amarillas.

5 Poner una gota de color morado y tres cuentas amarillas. Introducir la aguja justo por debajo de la gota morada y dar una puntada de refuerzo, comprobando que no se vea el hilo. Pasar la aguja por el hilo.

6 Dar una puntada de refuerzo por debajo del canutillo y pasar la aguja por el canutillo antes de dar otra puntada más. Tirar con suavidad del hilo para estirarlo. Proseguir por el resto de la pantalla. Para las tiras blancas, usar hilo blanco y sustituir las cuentas amarillas por otras transparentes.

Materiales y equipo necesarios

Rotulador amarillo de base oleosa • Pantalla de papel blanco tubular • Cinta métrica • Aguja de coser puntiaguda • Tijeras • Hilo de cuentas amarillo y blanco • Aguja de enfilar • Lápiz • Papel cuadriculado • Cuentas de vidrio amarillas pequeñas • Cuentas de vidrio moradas pequeñas • Canutillos morados de 4 cm • Gotas moradas • Cuentas pequeñas de vidrio transparente

Borlas de abalorios

Estas brillantes borlas están inspiradas en artesanías étnicas. Cosidas a los extremos de una almohada o un cojín, dan un toque exótico a un diseño de interiores. Para un efecto más elegante, se utilizarán abalorios translúcidos o metálicos. Las dos primeras borlas tienen «cabezas» tradicionales; la tercera utiliza una cuenta de gran tamaño. Se comprobará la longitud de los cordones con un papel cuadriculado mientras se trabaja.

1 Para la borla turquesa y roja: cortar una pieza de cinta de 25 cm de largo. Marcar la longitud deseada en papel cuadriculado y la secuencia de colores. Enhebrar la aguja de enfilar y fijarla en un extremo de la cinta. Repetir la secuencia siguiente para toda la borla: enfilar 18 cuentas pequeñas de color turquesa, ocho rojas, una turquesa grande y una turquesa pequeña.

2 Utilizando la última cuenta como anclaje, pasar la aguja a través de la segunda cuenta hasta la última, y después por todo el hilo. Introducir la aguja en la cinta y dar una puntada en un lado. Repetir la operación en toda la cinta.

3 Enrollar la cinta y fijar la borla con varias puntadas.

Materiales y equipo necesarios

Tijeras • Cinta de tela • Lápiz • Papel cuadriculado • Aguja de enfilar • Hilo de cuentas • Cuentas de vidrio pequeñas color turquesa y rojo • Cuentas de vidrio turquesa grandes • Aguja de coser e hilo • Hilo de bordado color turquesa • Cuenta facetada mediana de color rojo • Cuentas de vidrio blanca y verde claro pequeñas • 2 grandes cuentas de vidrio naranjas • Cuentas de vidrio pequeñas verde oscuro • 2 cuentas de vidrio medianas verde claro

4 Sujetar con hilo de bordar y envolver con fuerza la «cabeza» de la borla. Fijarla de forma segura.

6 Para la borla verde y blanca, planificar una secuencia uniforme de colores en papel cuadriculado. Cortar una pieza de 25 cm de cinta y fijarla con hilo para cuentas, como en el paso 1. Enfilar las cuentas siguientes: 13 blancas, siete verdes, 24 blancas, siete verdes, 13 blancas.

7 Introducir la aguja de nuevo en la cinta en el mismo punto para formar un lazo. Dar una puntada para asegurar, y después otra puntada a un lado. Repetir la operación en toda la cinta.

5 Fijar la aguja de enfilar y el hilo en la parte superior de la «falda» de abalorios. Enfilar 15 cuentas turquesa para cubrir la «cabeza». Introducir la aguja en la parte superior y llevarla hasta la inferior. Pasar la aguja por la última cuenta enfilada, enfilar dos más pequeñas, hacer una curva y atravesar la última cuenta por encima. Introducir la aguja de arriba abajo, repetir la secuencia con otras 20 cuentas pequeñas, y regresar a la «cabeza» para formar un lazo. Fijar la labor.

8 Completar la «cabeza» de la borla como en los pasos 3-5, añadiendo una cuenta roja grande en la base del lazo.

10 Cortar una longitud de hilo, doblarlo y enhebrar los extremos en la aguja. Doblar los hilos con cuentas por la mitad y atar el lazo en todos los hilos en este punto. Pasar los extremos del hilo por la cuenta naranja grande. Enfilar cristal mediano verde claro, 17 cuentas pequeñas verde claro, una mediana verde claro y 18 pequeñas verde claro, y después pasar la aguja por la cuenta naranja para formar un lazo. Fijarlo bien.

9 Para la borla verde y naranja, marcar la longitud deseada de los hilos de la borla en papel cuadriculado. Cortar hilo con el doble de esta longitud y enfilar cuatro cuentas pequeñas verde claro. Usando la última cuenta como anclaje, pasar la aguja por las tres primeras para fijarlas. Enfilar cuentas pequeñas: 20 verde claro, 40 verde oscuro y 24 verde claro, ajustando las cantidades necesarias para llenar el hilo. Con la última cuenta como anclaje, pasar la aguja por la segunda cuenta hasta la última, y después por todo el hilo, con puntadas de remate en esta longitud. Preparar otros ocho hilos de la misma forma.

PLANTILLAS

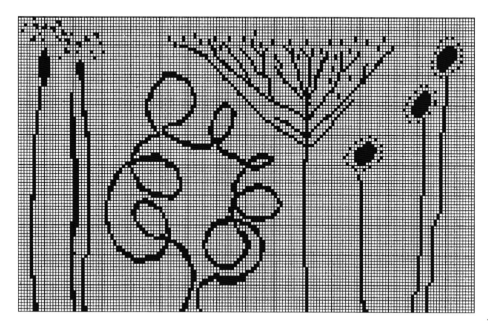

ÁLBUM FOTOGRÁFICO DE «PETIT POINT», páginas 72-74

ZAPATILLAS DE NIÑO, páginas 63-64

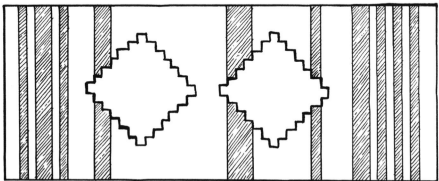

PULSERA TRENZADA, páginas 43-45

ADORNO DE PERLAS, páginas 50-51

AGRADECIMIENTOS

Me gustaría mostrar mi gratitud a las siguientes personas por su contribución en los proyectos: Victoria Brown, diadema de perlas; Judy Clayton, pendientes envueltos y billetera; Lucinda Ganderton, collar veneciano, bolsa de cordones y paño para cubrir la jarra de leche; Daniella Zimmerman, guantes pintados, almohada de terciopelo, lámpara en espiral y mampara de efectos en cascada.

Gracias también a Peter Williams por su paciencia y su profesionalidad.

CRÉDITOS FOTOGRÁFICOS

Los editores desean expresar su agradecimiento por la autorización para reproducir las fotografías de este libro a: Christies' Images: pág. 8, ceñidor de tela de los indios norteamericanos, y pág. 9, guantes de cabritilla con hilo de plata y lentejuelas; The Embroiderers' Guild: pág. 10, chalecos victorianos en bordado berlinés; Julia Hedgecoe, fotógrafa: pág. 11, cuadros y muestrarios en bordado berlinés, fotografía J. Hedgecoe; el traje de noche de velo de seda pintada transparente de la pág. 11 ha sido reproducido por cortesía de Trustees of the Victoria and Albert Museum.

ÍNDICE